SHERRY ARGOV

Por qué los hombres se casan con las CA...

Título original: *Why Men Marry Bitches:*
A Woman's Guide to Winning Her Man's Heart
Traducción: Rosa María Fernández Valiñas

Diseño e ilustración de portada: Ana Paula Dávila

El título Why Men Marry Bitches es una marca registrada
por Sherry Argov.

© 2007, Editorial Diana, S.A. de C.V., de la edición en español.
Avenida Presidente Masaryk núm. 111, 2.° piso,
Col. Chapultepec Morales,
C.P. 11570, México, D.F.
www.diana.com.mx

Primera edición: abril de 2007
Tercera reimpresión: agosto de 2007
ISBN 978-968-13-4279-1

Impreso en los talleres de EDAMSA Impresiones, S.A. de C.V.
Av. Hidalgo núm. 111, Col. Fracc. San Nicolás Tolentino, México, D. F.
Impreso y hecho en México – *Printed and made in Mexico*

Para mamá, con amor.

Contenido

Agradecimientos • 11

Introducción • 15

1 TIRANDO A LA BASURA
EL LIBRO DE REGLAS
Por qué una mujer fuerte conquista su corazón • 25

Pautas de la sociedad para las chicas buenas • 27

Mito 1: Tienes que ser perfecta • 31

Mito 2: Tienes que ser su juguete sexual • 37

Mito 3: Tienes que ser cualquier cosa que él quiera que seas • 44

2 HAZ QUE TE PERSIGA…
HASTA QUE LO CACES
**Cómo convencerlo de que el compromiso
fue idea suya** • 55

La cabrona lo hace bajar la guardia • 57

La cabrona lo convence de que se "ganó" el compromiso • 68

La cabrona lo confunde • 82

3 EL SOL SALE Y
SE PONE EN SUS CALZONCILLOS

Cómo iniciar en él un incendio que no pueda apagar • 95

Despacio y constante gana la carrera • 97

El fuego entre las sábanas • 112

La postfiesta (El *after*) • 123

Manteniendo encendido el fuego del hogar • 131

4 PRESIONAR EL BOTÓN FEMENINO:
UNA TRADICIÓN POPULAR MASCULINA

Por qué los hombres fastidian deliberadamente a las mujeres para entender su postura • 135

Recuperando el control remoto de tus emociones • 137

Botón femenino 1: Puede intentar darte celos con otra mujer • 144

Botón femenino 2: Puede olvidar llamar, llegar tarde, o distanciarse de alguna manera • 150

Botón femenino 3: Puede decirte algo subido de tono para ver cómo respondes • 158

Botón femenino 4: Tal vez intente exceder los límites para ver hasta dónde se puede salir con la suya • 165

Los botones de *su* control remoto • 167

5 SE BUSCA: JUAN SUELDO

Por qué la independencia financiera te hace deseable como esposa • 173

El capitán de mi mina de oro • 175

Aprecio: la incursión a su corazón • 195

Jugando a la casita • 202

Bodas forzadas • 205

6 INVADIENDO EL CLUB DE LOS CHICOS

Secretos robados: todas las cosas altamente clasificadas que los hombres sólo comparten con otros hombres • 209

Secretos altamente clasificados de mis operaciones encubiertas • 211

Pregunta 1: ¿Los hombres engañan deliberadamente a las mujeres diciéndoles que quieren un compromiso y matrimonio para obtener ciertos "beneficios" sexuales? • 214

Pregunta 2: ¿Cómo describirías los rasgos de una mujer segura (alias cabrona) comparados con los de una mujer insegura? • 218

Pregunta 3: ¿Cuáles son las señales de que una mujer está perdiendo el tiempo? • 221

Pregunta 4: ¿Qué secretos sobre sexo guardan los hombres? • 224

Pregunta 5: ¿Por qué los hombres prueban a las mujeres? ¿Lo hacen a propósito? • 227

Pregunta 6: ¿Cuál es el miedo secreto de los hombres? • 232

Pregunta 7: ¿Cuál es la mejor forma de que una mujer reencienda el interés de un hombre si se está empezando a apagar? • 235

Pregunta 8: ¿Cómo puede saber una mujer si el hombre está realmente enamorado y pensando en la eternidad? • 238

7 DE "TAL VEZ" A "SÍ, ACEPTO"

Obtener un anillo para el dedo en el que él está enrollado • 243

Bajándote del carrusel • 245

Cambiando el lente a través del cual te ves • 258

Los principios de relación de Sherry • 267

Agradecimientos

Primero y ante todo, agradezco a mi bellísima madre, Judy, pues lograr que se sienta orgullosa de mí sigue siendo la razón por la que me levanto cada mañana. Su sabiduría, fuerza y aliento de madre, y su ejemplo como una mujer admirable, son las razones por las que soy capaz de hacer lo que hago.

También me gustaría agradecer a la editora en jefe, Amanda Murray, la mente más brillante con la que he trabajado en el mundo editorial. Un agradecimiento especial a la asistente editorial Annie Orr, una mujer increíble al trabajar con ella. Muchas gracias a David Rosenthal de Simon & Schuster, Victoria Meyer y Kristan Fletcher del departamento de publicidad, Marcella Berger de derechos extranjeros, Jaime Putorti, quien hizo el exquisito diseño interior para la edición original en inglés, y Jackie Seow, quien diseñó la cubierta del libro para esa edición. Estoy encantada de que la palabra "Cabronas" se haya conmemorado para la portada en inglés con mi labial rosa. Y gracias a los correctores Edith Lewis y Frances Fisher por hacerme ver más inteligente de lo que soy.

Me gustaría agradecer a Les Amponsah por sus consejos y cálido aliento de amigos. Un agradecimiento especial a los abogados de espectáculos Anthony Kornarens, Mitch Langberg y Matt Thompson, mentes brillantes que me ayudan a navegar por mi carrera. Gracias a Paul Levine por manejar mis marcas registradas.

Me gustaría agradecer a mis contadores Ilana Roman y Ali Adawiya.

Desde luego, quiero agradecer a los dos hombres de mi vida: mi querido prometido y mi pequeño gato.

Quiero agradecer a mi entrañable amigo y cómico, Rodney Allen Rippy. Gracias por tener un increíble y divertido "tercer ojo" y por hacerme reír tanto que me duele el estómago al día siguiente.

Un agradecimiento especial a Rita Starliper, la diseñadora de mi página *web* y mi querida amiga. Gracias a mis otros buenos amigos que me han retroalimentado: Beverly Rippy, Leslie Gordon, Giancarlo Di Pietro, Ted Hayes, Bonita Hornstein, Diana Shay, Danielle Hill, Nick Latimer, Jeff Gordon, John Schatzel y Doug Singer. Gracias especiales a Boris Shekhter, quien tuvo la amabilidad de leer mi material y darme retroalimentación "masculina" aun después de pasar por una cirugía cerebral. También, doy las gracias a Devin Goodman por su valiosa participación. Un agradecimiento cordial a Janet Golden y a Dorreen Plester por mis trapos de cocina de cabeza de alce. Agradezco a Michelle De Nicola por su disposición a sobrevivir al pánico escénico y aparecer en la televisión como mi "cabrona simbólica". Felicidades por la boda. Y a Helene Kuperman, que siempre tiene una buena historia que contar. Un agradecimiento especial a Kathleen Lowson por ser una gran amiga.

Sobre todo, quiero agradecer a las mujeres admirables que me han escrito, y por contarles de mis libros a sus amigas. Gracias por el apoyo y la retroalimentación, y por hacer que cincuenta y ocho cartas de rechazo, sobredosis de café e interminables horas de trabajo valgan la pena.

Introducción

Todos hemos oído la historia sobre el príncipe que se casa con la doncella pueblerina. O la del guapo soltero que puede tener a cualquier chica, pero se enamora de una mujer común bastante intratable. En la boda, él se siente el hombre más afortunado del mundo. Mientras tanto, su familia no hace más que ingerir antiácidos preguntándose: "¿Por qué con ella?" Y después empiezan las especulaciones: "¿Será por su forma de cocinar? ¿Será el sexo? ¿Le habrá lavado el cerebro? ¿Qué le dio?" Lo que mueren por hacer es llamarlo a un lado y preguntarle a quemarropa: "¿Por qué te estás casando con esa cabrona?"

Por qué los hombres se casan con las cabronas no es otro libro sobre "cómo pescar marido". No es un libro que sugiera ni siquiera remotamente que estás incompleta hasta que encuentres a tu "otra mitad". Al contrario. Cambiará costumbres, ampliará tus horizontes sobre por qué algunas relaciones no progresan, y modernizará tu forma de pensar sobre la manera en que los hombres *escogen* a su alma gemela.

Cuando uso la palabra cabrona, la mujer que estoy describiendo no es cruel ni ruin. En todo el libro, así como en el primero, *Por qué los hombres aman a las cabronas*, uso la palabra *cabrona* en forma irónica. La intención es que el término sea satírico, y no se tome demasiado en serio. Lo uso para describir a una mujer fuerte que tiene identidad propia y está segura de quién es ella. Está plenamente feliz de concederle a él "su espacio" porque disfruta del suyo propio. Tiene claro lo que acepta y lo que no. Se distanciará si siente el menor soplo de una falta de respeto, y esto la hace más emocionante para un hombre, no menos. *Es la mujer con la que él sueña para esposa.*

Todas hemos leído *Cenicienta*. Hemos visto los comerciales de anillos de compromiso en los que ella recibe su refulgente joya. Hemos asistido a bodas en las que hay diez damas de honor vestidas como Campanita. El fotógrafo toma una foto de todas esas damas de honor rodeando a la novia inclinadas sobre su mano izquierda y mirando con adoración la gema. Después viene el lanzamiento del ramo, y todas las mujeres solteras se pisotean unas a otras con tal de agarrarlo, para que el sobrino prepúberto de alguien, con frenos en la boca, pueda conseguir la liga del muslo. Así es como las mujeres responden a la *mera idea* de estar casadas.

Los hombres observan la escena. Ven a las mujeres actuar como si el matrimonio fuera el fin último y toman nota de ello. Esto sólo confirma lo que él siempre ha sabido: el matrimonio no siempre significa que ella esté enamorada de él. Algunos hombres sienten que la mujer está enamorada de *la boda* o de *lo que representa el matrimonio*. Él sólo está ahí para llenar un espacio.

Todo lo anterior tiene influencia en la forma en que los hombres salen a sus citas. Ellos evitan las situaciones en las que sospechan que la mujer necesita una relación para sentirse completa, porque, otra vez, sienten que sólo están ahí para llenar un espacio. Para un hombre, una mujer necesitada es igual a una trampa porque no lo ama por quien él es. La verdad es que los hombres no le tienen fobia al compromiso, *ellos quieren amor y matrimonio tanto como las mujeres*.

Para que un hombre desee el matrimonio, tiene que pensar: "Caramba, sería maravilloso estar casado con ella". Y eso no sucede cuando la mujer sigue el clásico consejo y fuerza el tema: "Necesito saber hacia dónde vamos. No quiero perder el tiempo". Estas son el tipo de cosas que las mujeres dicen automáticamente. La mujer podrá pensar que está ahorrando tiempo, pero no se da cuenta de que lo que logra es desanimarlo. Cuando una mujer actúa como si se "mereciera" una relación, un compromiso o el matrimonio, hace que él huya en la dirección contraria.

Por eso escribí el libro.

En los siguientes capítulos, aprenderás a alterar tu enfoque. Entenderás la necesidad que él tiene de preguntarse por qué tú no te comportas como si estuvieras desesperada por casarte, como hacen todas las otras mujeres que conoce. Cuando pareces diferente en que no te le estás acercando con el tema del "cásate conmigo", es cuando recibirás tantas propuestas que no sabrás qué hacer con ellas.

También entenderás la forma en la que ellos realmente *piensan*. Lo que sus acciones *realmente* significan. Cómo *esperan* que tú reacciones, y lo que *debes* hacer. Y no las típicas "tonterías" que has leído en otros libros sobre relaciones. Aprenderás las cosas que saben los hombres, y que saben las cabronas… pero que las chicas buenas todavía tienen que aprender.

El material en mis libros no sale tanto de mi opinión como de la información que reuní en cientos de horas de entrevistas con hombres que se sentaron frente a mí y hablaron conmigo francamente. Me permitieron una mirada interior a la información que por lo general se reserva sólo para los hombres, sobre lo que hace que un hombre se enamore en realidad y "haga la pregunta".

Era tan importante para mí ser precisa que hasta releí el material a los hombres antes de llevarlo a la imprenta para asegurarme de que realmente reflejara sus sentimientos. Ellos me decían: "Si las mujeres tuvieran estas características, estaríamos mucho más dispuestos a casarnos con ellas. Estoy agradecido de que les cuentes esto a las mujeres. Pero no uses mi nombre real…"

Después de que salió a la venta mi primer libro, escuché a muchos críticos decir: "Las mujeres nunca deberían de jugar con los hombres". Desde mi punto de vista, esto es sorprendente pues da a entender que los hombres siempre son compasivos, altruistas y honestos —y que nunca juegan con las mujeres. La realidad es que los hombres exageran la verdad y omiten información crítica de manera estratégica todo el tiempo para poder tener su pastel y comérselo. De la misma forma que una mujer guapa utiliza sus atributos para obtener privilegios y beneficios, los hombres insinúan la posibilidad de "casarse en algún momento" para embaucar a las mujeres.

Los siguientes capítulos te enseñarán por qué idolatrar a un hombre para demostrarle "cuánto lo quieres" es casi siempre el tipo de comportamiento que lo lleva a decidir que tú no eres lo suficientemente interesante para perseguirte. Hacer esfuerzos sobrehumanos no te traerá el amor y la atención que ansías. Pero tener una vida propia, tus propias metas y ser firme, lo hará.

Esto no significa que este libro sea sólo para mujeres que quieren caminar hacia el altar. Quizás estés casada y quieras aumentar el interés. Tal vez quieras permanecer soltera. Este libro trata sobre cómo *ganar su corazón* para que *tú* tengas el poder de decidir los resultados que quieras.

Así que quítate los lentes color rosa y tíralos por la ventana. Es tiempo de que empieces a preguntarte si en verdad él es lo suficientemente bueno *para ti*. Podrás adquirir ese factor X especial que te hará sentir que tú tienes siempre el control. Y aprenderás cómo hacerlo sentir que eres esa mujer especial *sin la que no puede vivir*.

Ve por una copa de vino, o una taza de té. Quítate los zapatos y eleva los pies, pues vamos a tener una conversación seria entre mujeres. Y te advierto: este no es un libro para "mimar a tu niña interior".

NOTA:

En este libro se cambiaron los nombres de hombres y mujeres para proteger a los no-tan-inocentes.

Por qué los hombres se casan con las cabronas

capítulo I

Tirando a la basura el libro de reglas

Por qué una mujer fuerte conquista su corazón

Expongamos ahora una de las verdades
fundamentales del matrimonio:
la mujer es la que manda.

BILL COSBY

Pautas de la sociedad para las "chicas buenas"

Imagina un mundo en el que los papeles se invirtieran y los hombres le cocinaran a las mujeres, recogieran los calcetines y no pudieran esperar para casarse. Imagina que tienes un novio que guarda un cofre con seis corbatas de moño color lavanda, las cuales quiere que usen sus padrinos en la boda. Imagina que se emociona cada vez que pasan delante de una tienda Baby Gap. Y que te saluda en la puerta usando bóxers de seda y botas vaqueras, para poder hacerte un baile en el tubo. Y a esto añade unos cuantos ultimátums:

"¿Y mi anillo?"
"¿Por qué no te casas conmigo?"

Lo más probable es que pensarías que el tipo no está muy bien de la cabeza. Y empezarías a planear la huida. "No eres tú, soy yo. [Traducción: Definitivamente eres tú.] El trabajo me tiene demasiado ocupada. Te quiero pero no estoy enamorada de ti". Y después saldrías disparada por la puerta… como dinamita.

Así de espantoso como suena, este es el método que se le enseña a las mujeres para atrapar marido. Es la difícil situación de toda "chica buena" que pone a todos antes que ella, pone sus necesidades propias al final y no se cree digna de tocar el dobladillo de los pantalones de su hombre.

Cuando entrevisté a los hombres, todos dijeron que *las mujeres seguras son escasas*. Y que una mujer segura es la que les parece más sexy. ¿Te parece extraño que sea difícil encontrar mujeres seguras? Mira a tu alrededor. Cualquier revista de modas le dice a las mujeres que actúen como sirvientas, como si salir con un hombre se pareciera a hacer una solicitud difícil para un trabajo de obrera: "¿Puedes servir una cerveza vestida con lencería provocativa? ¿Eres capaz de doblar sus camisas como si fueras la empleada del mes del motel Jolly Roger? ¿Te envuelves en celofán para él? ¿Arreglas el jardín en zapatos de tacón de aguja? ¿Usas la posición del perrito? Si lo haces, él se va a arrodillar y te va a proponer matrimonio…".

Lo que las mujeres aprenden con todo esto es a comportarse como si estuvieran desesperadas. Cuando su actitud es la de: "¡Escógeme! ¡Escógeme!", lo que hacen es presionar el interruptor de muerte del deseo masculino. Esa es la naturaleza humana. Tú te sentirías igual de decepcionada si un hombre llegara a tomar un café contigo en la primera cita cargando dos docenas de rosas y durante los primeros cinco minutos te dijera que se siente el tipo más afortunado del mundo.

Así es la naturaleza humana. Decirle a una mujer que se esfuerce más en agradar es como decirle a un niño pequeño que se acerque al buscapleitos del colegio el primer día de clases y le diga: "Toma mi dinero para el *lunch*. Y también mis pastelitos. Y como no tienes lonchera, toma la mía". O, durante una cita: "Toma mi cuerpo. Y te hice un pastel. Por favor sé bueno. Por favor cásate conmigo. Hasta voy a levantar mi trasero muy alto como lo hacen en yoga. Es tan cómodo estar patas arriba. *De verdad*. ¡Me encanta!"

El que un hombre se acueste contigo no quiere decir que esté pensando en el futuro. Para que él piense en la eternidad, tiene que haber algo que respete *en* ti. Como una inteligencia firme… y un cerebro fuerte.

PRINCIPIO DE RELACIÓN 1
En el romance, no hay nada más atractivo para un hombre que una mujer que siente dignidad y orgullo por quien es.

Además, debes de saber lo que piensas. Mientras más te enfocas en elevarte, más trabajará él para ser una de tus prioridades. Él te considera un proyecto a largo plazo cuando añades el ingrediente principal: *respeto*. Y el respeto es el pegamento que mantiene todo unido.

Kara es un ejemplo perfecto de la razón por la que las mujeres inteligentes y seguras tienen las calificaciones más altas. Al principio de la relación, su prometido intentó darle su opinión sobre la forma en la que debería vestirse. Ella salía hacia una junta, y él le sugirió que se pusiera un vestido en vez del traje de pantalón que tenía puesto. Después le dijo que estaba demasiado maquillada. Lo que habría hecho la chica buena sería salir corriendo a comprar un guardarropa nuevo. Pero Kara lo controló de una forma juguetona: "Mira, Versace. Este traje siempre ha estado bien. Y tampoco he recibido quejas sobre el maquillaje. Pero, si quieres, te aviso cuando me lo vaya a poner. Entonces, si no me quieres ver vestida así, no tienes que venir".

Para que te vea de forma diferente, tienes que *pensar* de manera diferente. Él debe ver que tú llevas la voz cantante y que no necesitas que nadie te diga cómo ponerte los calcetines. Esto le dice: "Soy una mujer segura". Las actitudes que más matan la atracción son ser insegura y parecer necesitada. La cabrona no hace audiciones ni quiere ser "la mejor de la función". En lugar de pensar "¿dónde está mi anillo?" o "¿por qué no se casa conmigo?", ella piensa:

"¿Cuáles son las ventajas de que este hombre esté conmigo?"
"¿Cómo me siento después de estar con él?"
"¿Qué gano?"

Y entonces sucede algo chistoso: Él *hace hasta lo imposible* para estar con ella.

Kim Basinger[1] dijo algo interesante: "No tengo tiempo de que me clasifiquen como difícil, y no tengo tiempo para que me importe". Los hombres suelen sentirse cómodos con una mujer que no le da tanta importancia a las cosas, porque así no tienen que sentirse totalmente responsables por la felicidad de otra persona. Cuando un hombre ve que eres feliz con él *pero serías igualmente feliz si no tuvieras nada que ver con él*, es cuando no se separará de ti. *Cuando eres feliz, eres sexy.*

Además, las cabronas se divierten más. Mi amiga Angela salió un viernes con un hombre y fueron a cenar comida china. Probaron varios platos y les quedaron muchas sobras, así que Angela se las llevó a su casa. La noche siguiente, tenía una cita con otro hombre y decidió ser "la anfitriona perfecta". Calentó las sobras de comida china, "reorganizó" una mezcla en un plato bonito, y se lo sirvió a su huésped de honor. La galleta de la fortuna decía: "El banquete servido tuvo un éxito rotundo".

Claro que yo nunca te recomendaría que escojas una cena tan rápida y fácil en lugar de sudar durante más de tres horas en la cocina. Sin embargo, sería una descuidada si no incluyera este consejo de cocina *gourmet*: no guardes el perejil. (Si se ablanda en el microondas siempre será un fracaso absoluto.)

Fíjate en lo que Kara y Angela tenían en común: Ninguna sentía que tuviera que dar demasiado, lo que les ganó el respeto de sus hombres. ¿Por qué? Se *esperaba* que ellas se mataran porque eso es lo que los libros de reglas dicen que deben hacer. Cuando se negaron, se apagó un foco dentro de su cabeza. El mensaje "yo valgo algo" *es lo que los convierte en creyentes.*

En el documental de un canal musical, Tim McGraw[2] dijo algo muy intrigante sobre su esposa, Faith Hill: "Ella es directa, eso es seguro. No acepta tonterías de nadie". No decidió hacer comentarios sobre su talento, éxito, belleza, fama, o ninguna de las otras cosas que celebra la sociedad.

En cambio, comentó sobre el atributo que los hombres respetan más: la fuerza. ¿No crees que él está orgulloso pues su esposa no acepta tonterías? Te apuesto que lo está.

PRINCIPIO DE RELACIÓN 2
Él se va a casar con la mujer que *no* se acueste como si fuera una pieza de linóleo.

Esto nos lleva a la definición de una cabrona casadera (también conocida como una mujer fuerte y enérgica que sabe lo que quiere). La cabrona no es grosera ni mordaz porque es lo suficientemente inteligente para saber que es más efectivo ser atenta. Pero no se compromete para poder tener una relación. No trabaja tiempo extra para "pescar marido". Y por lo mismo, él no la clasifica como una mujer tonta de la que se puede aprovechar. Ella tiene cierto brío en sí misma. Cierto sabor… y *no* siempre es linda *—eso es lo que él sueña*.

Como tantas chicas "lindas" creen equivocadamente que ser una mujer fuerte (también conocida como cabrona) es malo, vamos a exponer algunos de los requisitos de la llamada "candidata". Y después descubriremos, de los hombres, lo que ellos *en verdad* piensan sobre las mujeres que se comportan así.

Mito 1:
Tienes que ser perfecta

Piensa en la última vez que estuviste perdidamente enamorada. Lo más probable es que el tipo no fuera un millonario ni un neurocirujano con estómago de lavadero tan bien dotado como un animal de granja usando Viagra. Lo más probable es que no te haya provocado cinco orgasmos antes de quedar complacido. Pero tenía algo especial. Tenía un par de características que te gustaban y una cierta magia que te hacía estremecer. Los hombres que quieren tener una relación están buscando esa misma magia.

> **PRINCIPIO DE RELACIÓN 3**
> *Él no se casa con una mujer perfecta.*
> *Se casa con una mujer interesante.*

Este es uno de los más grandes mitos perpetuados por los medios de comunicación: si eres perfecta, bella y rica, tendrás el respeto y el amor que anhelas. O eso dicen. (Ahora volvamos a la realidad.) Cuando un hombre conoce a una mujer que parece *tan* perfecta, *tan* dulce o *tan* complaciente, tiende a aburrirse rápidamente.

Los concursos de belleza son un buen ejemplo de la razón por la que las mujeres creen que los propósitos más importantes de su vida son aprender consejos de belleza y habilidades para "atrapar hombres". Lo admito, ofrecen becas y préstamos educativos. Esto es irónico porque los únicos hombres que ven dichos discursos son los que gustan de mujeres muy tontas. Los hombres inteligentes creen que es vergonzoso que una mujer pose y sonría como si siempre hubiera sido así de jovial. Todo mundo sabe que las perdedoras quieren estrangular a la que ganó, y que la belleza sureña que gana Miss Simpatía se muere por decirle a todos los jueces: "Váyanse a la porra… bola de tarados". Todas fingen ser vírgenes hasta el matrimonio y ayudan a los pobres:

Segunda finalista: "Estudio el quinto año de alfarería en la universidad local. Mis planes son acabar con el hambre en el mundo y encontrar una cura para el cáncer. Y de una vez por todas, voy a acabar con la escasez global de macetas".

Primera finalista: "Mis planes son alimentar a los hambrientos, los indigentes, los desempleados y los necesitados. Así, todos mis parientes podrán comer".

Abeja reina: "Antes de visitar las aldeas afligidas por la pobreza en África, tengo cita para pintarme las uñas de los pies. Llamen a la prensa. ¡Voy a usar mis zapatos Manolo Blahnik de mil dólares!"

No sé si te has fijado en que los concursos de belleza se parecen a las ferias rurales. Los granjeros muestran del mismo modo a sus vacas. Pasean a su premiado ejemplar de Jersey por un escenario frente a un público y un grupo de jueces, y a veces hasta gira un par de veces. Después adornan a la ganadora con una cinta satinada, con el título y el año impresos. Tienen hasta calendarios con "la vaca del año".

Vamos a tratar de aplicar esta conducta tipo Barbie a la primera cita, para ver por qué zozobra como un globo relleno de plomo. Imagínate a una mujer intentando ser esa "chica perfecta". Entra al lugar como caminando por una pasarela. Su bolsa hace juego con el broche del zapato. Se ríe tontamente en el momento adecuado. Para cenar, pide dos aceitunas con aderezo bajo en calorías (a un lado). Sin darse cuenta, esta mujer ya se etiquetó a sí misma: temporal. ¿Qué piensa él? "Deposita y vete". Tal vez tenga sexo con ella, pero después baja como en resbaladilla. ¿Por qué?

Cuando ella es artificial, él desconfía de quién es en realidad y cuáles son sus motivaciones verdaderas. Por lo general, se imagina que ella está montando un show para atraparlo. Por tanto nunca pasa al siguiente nivel. Esta es la razón por la que algunas relaciones nunca aumentan la velocidad. Al tratar de ser alguien que no es, la mujer automáticamente se etiqueta con el sello de "insegura". "Esta va a pedir una atención constante y nada de lo que le dé le va a parecer suficiente. Va a absorber toda mi energía". Antes de pasar cierto tiempo con ella, ya está pensando en la siguiente.

No sólo eso, sino que cuando un hombre piensa que una mujer es débil o insegura, no sentirá la necesidad de trabajar en la relación. En ese punto ella se convierte en "entretenimiento para caballeros". La relación se convierte en una atracción secundaria. Él se relajará, abrirá una cerveza, y pensará: "Se está esforzando tanto, que yo no tendré que hacerlo".

PRINCIPIO DE RELACIÓN 4
Cuando una mujer se esfuerza demasiado, el hombre casi siempre la va a probar para ver hasta dónde está dispuesta a llegar. Empezará a lanzarle discos voladores, sólo para ver cuán rápido corre y qué tan alto salta.

Los hombres están *acostumbrados* a hacerlo. Así que intentarán lanzarte carnadas para que te portes de este modo. Tal vez te diga en la segunda cita que le gustan las uñas de los pies pintadas de rojo. O que le gusta cierta prenda de ropa. Si de inmediato empiezas a "trabajar" para convertirte en lo que él quiere, su respeto disminuye.

Para que lo entiendas mejor, vamos a echar un vistazo a una página del libro de reglas *masculino*. Este es material clasificado como altamente secreto.

Una página del libro de reglas masculino

Definición de inolvidablemente sexy: una mujer que puede funcionar por sí misma y sabe cuidarse. No me dejará ser siempre el ganador. Y es capaz de decirle a cualquiera que se tire al mar si así lo siente.

Esa es la mujer por la que él se esforzará. Cuando estás demasiado preocupada por obtener la aprobación de otra persona, *esa persona te pierde el respeto*. Cuando un hombre ve que te rebajas desde el principio, te estás exponiendo a tener una relación desequilibrada, porque estás reforzando el deseo inconfesado de cualquier hombre: "Si la ignoras, buscará que le des confianza y la hagas sentir segura". Entonces la aprobación se convierte en su única "contribución". *Cuando necesitas su aprobación*, te *ciegas* y rápidamente te conviertes en la parte vulnerable de la relación. Adopta la filosofía de que "la aprobación no es deseable ni necesaria".

Después de todo, siempre va a haber alguien que te diga que no eres lo suficientemente atractiva, lo suficientemente perfecta, o que no perteneces a la clase social correcta. La verdadera confianza nace cuando...

PRINCIPIO DE RELACIÓN 5
No creas lo que te digan sobre ti misma.

Sofia Loren dijo: "La belleza es como te sientes por dentro y se refleja en tus ojos. No es algo físico". Esto es lo que hace que te veas espléndida ante un hombre de calidad, porque estás llegando completa. Y eso es lo que lo hace decir: "Caramba, me pregunto cuál es la magia especial que hay en ella".

¿Cómo afecta lo anterior a las relaciones a largo plazo? Cuando un hombre no puede llevar registro de tu código o descubrir tus inseguridades, *ya no eres legible*. Es entonces cuando ya no tiene una posesión del 100% sobre ti, y tiene que poner su 50% de participación para ganarte, mantenerte interesada y sostener una relación recíproca y viable.

Mito 2:
Tienes que ser su juguete sexual

A los hombres les encanta contar historias pintorescas que suenen exactamente igual que las de las revistas para caballeros. Según él, todas sus ex novias son supermodelos y tenían relaciones con él diez veces al día. Obviamente, producto de su imaginación. Para comprobarlo, todo lo que tienes que hacer es echar un vistazo a la foto de su ex novia. Si es cierto que lo complacía diez veces al día, habrá signos visibles. La parte de atrás de su cabeza se verá como un nido de ratas. Sus tobillos estarán adheridos permanentemente al reverso de sus orejas. Y estará tan demacrada, que alguien le estará lanzando una hamburguesa con queso.

Las mujeres también se confunden sobre lo que los hombres quieren al observar las revistas que ellos leen. Por ejemplo, revistas con desnudos. Yo no sé tú, pero yo no suelo sentarme con el trasero al aire libre sobre un fardo de heno a esperar el atardecer. Sin importar cuánto frío haga, la modelo suele estar chupándose un dedo mientras cuelga bocabajo de un árbol, y se le cita diciendo: "Me encanta estar desnuda. Me hace sentir tan cerca de la naturaleza". Después viene la literatura de primera clase.

> Gustos: **Los Twinkies, las paletas de caramelo y los atardeceres.**
> La persona que más ha influido en mi vida: **Mi cachorrito.**
> Deporte favorito: **El kayak, desnuda.**
> Mayor logro: **Atarme las dos agujetas en menos de cinco minutos.**

Naturalmente, las mujeres ven estas formidables influencias y piensan: "Así me tengo que comportar. Si soy fenomenal en la cama y puedo cocinar un pastel de carne sin grasa, correrá a comprarme un anillo. ¿Verdad?" Lo dudo. Cuando un hombre llega a casa después de un día de arduo trabajo, lo último que busca es encontrarse a su esposa desnuda en la terraza, lamiendo una paleta de muchos colores, con el cabello en dos colitas y regando los tulipanes. Pensaría: "Está a punto de que la encierren en un manicomio".

Le pregunté a un chico si se trata del tipo de escena con la que los hombres fantasean. Quería responder mi pregunta pero no podía dejar de reírse. Después me dijo: "Definitivamente decepcionante. No estaría siendo ella misma".

Un hombre inteligente no construiría una vida con una mujer que él sienta que no tiene los pies firmemente plantados en la tierra. Los hombres no se casan con mujeres del tipo "niñita" porque no quieren sentirse como si estuvieran adoptándola. La única razón por la que a los hombres les gustan las mujeres tontas es para poder aprovecharse de ellas –a corto plazo. Un hombre que valga la pena querrá una compañera competente y multidimensional. Alguien que pueda manejar las cosas cuando él no esté.

Eso no significa que no se rompan el cuello para *ver* a una mujer que esté mostrando mucha piel. Pero al mismo tiempo, dictan sentencia: "Sólo a corto plazo". Y cuando un hombre te pone en la categoría de "sólo para sexo", no verá más allá.

> **PRINCIPIO DE RELACIÓN 6**
> Los hombres ven cómo te vistes, y después hacen suposiciones sobre tu potencial para tener una relación.

Un hombre llamado Doug me lo explicó: "Una mujer es *más* atractiva cuando muestra *menos* piel. Eso hace que quieras saber lo que hay debajo. No quieres ir a la cama y pensar 'No es gran cosa. Ya lo había visto'. Quieres que el traje con el que nació sea una sorpresa. Eso es la mitad de la emoción".

Cuando las mujeres vemos ropa, vemos colores, telas y estilos. ¿Qué ven los hombres? Si eres un reto para su mente o no. Por eso los oyes hablar sobre fantasías con enfermeras, o con la chica de al lado, o con las tipo bibliotecaria. Si la mujer está usando algo que "no muestre todo lo que tiene", como unos *jeans* y un suéter, lo que el hombre piensa es: "No se está exhibiendo para ti. *Tienes que trabajar un poco para obtenerla*". Cuando una mujer muestra algo, pero no todo, el hombre infiere que sus partes sexys son zonas "confidenciales". Y eso hace que sus acciones aumenten.

Evan es el ejemplo clásico de la rapidez con la que los hombres catalogan a las mujeres. Conoció a Blair en el trabajo y le preguntó si quería tomar algo con él esa noche. Tenía puesta una blusa de seda que mostraba algo, pero no demasiado. Ella fue a casa a cambiarse. Pensando que lo iba a "deslumbrar", se puso una camiseta corta que mostraba toneladas de escote con letras sobre el pecho que decían NO TODO ES PLANO EN KANSAS, y un aro en el ombligo. Él recuerda: "Supe desde el primer momento que no íbamos a llegar a ninguna parte".

Si él quiere una relación seria con una mujer, prefiere ver menos piel en público y tener el espectáculo en privado, sólo para sus ojos. Prefiere ver una blusa ajustada que un escote desbordante. O un vestido que muestre huellas de su silueta. Estará mucho más fascinado con una falda larga que tiene una abertura lateral que con una microfalda que muestre la pierna completa. ¿Por qué? Por el elemento ¡cucú! No saber cuándo puede aparecer la pierna dispara su imaginación. Y cuando excitas su curiosidad y haces que *piense en ti*, es cuando sus pensamientos miran hacia el futuro.

PRINCIPIO DE RELACIÓN 7
Cuando un hombre te ve usando prendas
demasiado reveladoras, por lo general
supondrá que no tienes nada más que mostrar.

Una vez que te reduce a una sola dimensión, ahí te deja. Nunca te va a tomar en serio ni a pensar que vales lo suficiente para una relación a largo plazo. Los hombres quieren casarse con una mujer completa. Avance informativo: si los hombres le dijeran esto a las mujeres, ellos nunca tendrían sexo.

Según los medios de comunicación, estás a la moda si invitas a una amiga para un *ménage à trois* (triángulo amoroso). Y es moderno sacar el traje de estudiante atrevida o subir y bajar un tubo usando una peluca y un disfraz de la "Pequeña Pastorcita". Algunos clubes de acondicionamiento físico tienen clases para aprender a bailar como bailarinas nudistas. Las mujeres rechinan sus sillas y gatean por el piso mientras la canción "Ain't Too Proud To Beg"

(No soy tan orgullosa como para no rogar) resuena por los altavoces.

Aunque puede ser muy cómico mirarte contemplativamente desde la barrera, no creo que estés pensando: "¡Oh-oh! Mejor le hago un *strip-tease* para tenerlo contento". (Date una bofetada antes de que yo te la dé.) Si usas el sexo para atraparlo, te garantizo que tendrán un contacto inmediato, y luego él te va a poner en su librito negro. Pero no obtendrás el arroz… el anillo… ni el juego de sartenes antiadherentes.

¿Con quién te ves en un futuro a largo plazo? ¿Un bailarín de *strip-tease* que usa una tanga amarillo neón llena de billetes de un dólar, y a quien le encanta moverse y zarandearse? ¿O un chico bien parecido con un traje de tres piezas y un fondo para el retiro? De igual manera, los hombres quieren a una mujer completa. Fantasean con tener a una mujer de calidad de la que se sientan orgullosos, a la que puedan abrazar junto a una chimenea. Otro avance informativo: un hombre de calidad no se va a casar con una mujer que se *abarata*.

¿Te has dado cuenta de que a las bailarinas de *strip-tease* no les gusta esta palabra? Ay, perdón. Discúlpenme por ser tan insensible. Confirmo respetuosamente que son "bailarinas exóticas" que se ganan la vida de manera honorable para pagarse sus estudios de medicina. Y el traficante de drogas de mi barrio es un farmacéutico exótico. En cuanto termine la licenciatura en química, va a estudiar un doctorado en farmacología.

Recuerda, si apareces con una tanga cubierta de joyas de fantasía en la primera cita, y en la siguiente usas una minifalda que parece sacada del departamento de niñas, él te verá como si fueras propiedad comunitaria: "Cualquier tipo puede ver lo que hay, así que no soy tan especial si la obtengo".

Y no sólo eso, los hombres son extremadamente inseguros sobre cuántos otros amantes has tenido, *en especial* si están pensando en el matrimonio. Hasta admiten tener un número mágico en la cabeza cuando te preguntan con cuántos hombres has estado. (Más de los que se pueden contar con una mano son demasiados.) Y no les hace falta mucho para echar a volar la imaginación.

Si lo ves con unos calzones viejos con un hoyo cerca del pequeñín, asumes que no ha tenido una buena mujer que le compre una nueva dotación de ellos. Con los hombres sucede lo contrario. Si te ve usando un calzoncito sexy pero el elástico está un poco flojo o deshilachado, lo verá como evidencia de un revolcón reciente. Lo mismo sucede con ese bra negro de encaje que planeabas ponerte para él. Si le falta un ganchito, o está un poco doblado (Dios no lo permita), pensará que te lo arrancaron violentamente una o dos veces.

> **PRINCIPIO DE RELACIÓN 8**
> Cuando te ve ligerita de ropa, no recuerda lo
> bien que te ves desnuda. Inmediatamente
> piensa en todos los otros hombres con los
> que te has acostado.

Por esta razón, espera antes de ponerte cualquier tra-
jecito XXX de cinco piezas con redes, látex, ganchi-
tos de metal y quince correas. Dará la sensación de
que es el de la "amiga de todos". Lo que la mayoría
de los hombres dicen que encuentran de lo más sexy
es ver a una mujer vestida con una de sus camisas y
un calzoncito sexy debajo. Esto da la sensación de
"sólo para mí". Si te pones en piyama, usa algo sedo-
so que parezca que usarías cuando él no está. Es más
probable que eso lo haga apreciar el sexo, y apreciarte
a ti también.

Lo digan o no, la mayoría de los hombres quieren
sentirse como Juan el Granjero, arando tierra nueva.
(Y tu trabajo es que él mantenga esa ilusión.)

Mito 3:
Tienes que ser cualquier cosa que él quiera que seas

Esta es una de las diferencias clave entre una cabrona
y una chica buena. La chica buena conoce a un hombre y actúa como si se hubiera unido a una secta. Si
él es del tipo espiritual que come bayas y frutas, ella

comerá bayas durante sus cánticos matinales. Si es italiano, ella preparará albóndigas. Si es judío, amasará bolas de matzá. Si es fanático de los barcos, se suscribirá a la revista *Barcos poderosos*. Si es ambientalista, estará abrazando árboles, devorando trigo germinado y cambiando su deportivo por un híbrido.

Es por eso que cuando ves a un hombre locamente enamorado de su esposa, casi siempre ella es una mujer que piensa por sí misma. No "sufre por tonterías". Las luces están encendidas… y la cabrona está en casa.

Cuando Michael J. Fox conoció a su esposa, Tracy Pollan, estaban grabando un episodio de *Family Ties* (Lazos familiares). Durante un descanso para comer, él se le acercó y le hizo un comentario grosero sobre su aliento. "¿Oye, comiste camarones empanizados, o qué?" Ella inmediatamente lo puso verde y se fue. Hasta este día él recuerda: "Desde ese momento quedé enamorado de ella".

Si Michael J. Fox es como la mayoría de los hombres, lo que lo impresionó es que su esposa no se dejó manejar. Lo contuvo como a un sudoroso jugador de hockey en cuanto intentó pasarse de la raya. *Y a él le gustó*. Están casados, tienen cuatro hijos, y veinte años después él sigue diciendo cuán hermosa le parece en las entrevistas de televisión.

La dignidad es como noquear a un hombre de un solo golpe. Cuando tienes la confianza suficiente para ejercer tu poder y demuestras que no te da miedo perderlo, a él le da miedo perderte a ti. "Caramba. Es rápida. Tiene calidad. Tendré que tener cuidado con los detalles para mostrarle mis mejores cualidades y poder mantener su interés." Y, súbitamente, las pizzas y la cerveza pasarán al nivel de rosas rojas y champaña Cristal.

Un buen ejemplo. Roger y Cheryl son tan diferentes como el día y la noche. A él le gustan las cosas más finas de la vida. Ella adora las tiendas baratas, lugares a los que él no entraría ni muerto. (Dice que es donde compran los campesinos.) Cuando ella va a tiendas con objetos de segunda mano, él la espera en el coche, escondido tras el volante para evitar que lo reconozcan. Pero eso no impide que Cheryl vaya. Le hace un emparedado a Roger, y después de que él se lo come lo molesta diciéndole: "Muy rico, ¿verdad? Y todos los ingredientes salieron de una tienda barata". El hombre la adora de tal manera, que se tiraría delante de los coches por ella.

Cuando le gustas a un hombre, querrá saber qué es lo que te gusta. Si él te hace feliz, se siente más seguro. Todo lo que los hombres hacen es para impresionar a las mujeres —ya sea ir a la luna, convertirse en una estrella de rock o conducir un buen coche. El Taj Mahal se construyó para una mujer. Las chucherías, las casas, los trajes espectaculares… todos están diseñados para impresionar a una mujer. *Sé esa mujer.*

Cuando te pregunta qué tipo de comida te gusta, sé honesta. Es bueno que le digas cómo puede darte gusto, porque *complacerte lo mantiene comprometido con la relación.*

Al principio el chico puede preguntarle a una mujer qué es lo que le gusta. La chica buena comete el error de encogerse de hombros. "Me gusta cualquier cosa que a ti te guste. Lo que sea… soy fácil". Piensa que está siendo considerada, pero lo que está comunicando es: "Me quedo contigo sea como sea… aunque me des migajas".

Así que vamos a disipar un par de mitos de la chica buena.

1. Para un hombre una "chica-lo-que-sea" es igual a una "chica-sí".

Un ejemplo típico: imagínate a un tipo que te lleva a ver una película mala y después te pregunta lo que opinas de ella. Si es horrible y tú le dices: "¡Qué buenos efectos especiales!", te respetará menos que si le dices: "La compañía es buena, pero la película es nefasta. Y creo que no fue buena porque…"

Cuando un hombre puede tener la confianza de que le vas a decir lo que piensas, te verá como una candidata más legítima.

Lo que los hombres interpretan sobre las mujeres del tipo "lo que sea" o "me parece bien" es: "No tengo la confianza suficiente para tomar decisiones".

Esta es una de las formas en la que los hombres eva-
lúan si eres "material para relación" y "material para
matrimonio". Él no se va a casar con una mujer extremadamente sumisa o con un juguete tintineante que
asiente con la cabeza cada vez que se mueve. Esto
nos lleva a la segunda lección para la chica buena:

2. La forma más rápida de volverte aburrida para un hombre es siempre "hacer lo que te dicen".

Muchas de las veces que entrevisté a hombres casados, ellos dijeron específicamente que este atributo
haría que la relación fracasara. Un hombre casado
me dijo: "Salí con unas cuantas mujeres pero no me
decidía a casarme. Siempre eran mujeres que estaban deseando dejar todo por hacer cualquier cosa
que yo quisiera".

PRINCIPIO DE RELACIÓN 9
Todo hombre sabe que puede encontrar una chica
que quede satisfecha simplemente con tenerlo
satisfecho a él. Les interesa mucho más una
mujer que también se interese por su propio placer.

Lo que un hombre de calidad añora en realidad es
una amante que sea también su mejor amiga. Y una
compañera que sea su igual. Cuando entrevistaba a

los hombres, siempre quedaba pasmada cuando hablaban sobre "una conexión emocional". Uno de ellos me sorprendió cuando me dijo: "El hombre quiere todas las cosas que quiere una mujer. Si te preocupas por ella de verdad, te preguntas qué clase de esposa sería. Pero la mayoría de los hombres no lo admiten porque no quieren que la mujer sepa que les importa *tanto*. Es más seguro expresar sólo un interés sexual, porque se sigue considerando 'varonil'. Pero en el fondo, los hombres también quieren una conexión emocional".

Además, ser demasiado complaciente impide que aprendas aspectos clave de él antes de que te comprometas en una relación a largo plazo. Uno de los aspectos clave que quieres saber sobre un hombre es cuánto *respeta tu opinión*.

PRINCIPIO DE RELACIÓN 10
Puedes saber cuánto te respeta una persona, sabiendo cuánto respeta tu opinión. Si no lo hace, no te respetará a ti.

Cuando "dejas pasar las cosas para llevarte bien" o eres demasiado complaciente y pasiva, lo invitas a faltarte al respeto.

Cynthia estaba en una cita y Jon le preguntó: "¿Qué haces para divertirte?" Cynthia le respondió: "Compré un tractor cortador de pasto. El fin de semana pasado me divertí cortando el pasto del frente de mi casa". Después le describió otros de sus pasatiempos. Y esto es lo que él comentó: "No le importó que yo pensara que era tonta o rara. Eso era lo que le gustaba y así era ella. El hecho de que estuviera orgullosa de sí misma despertó mi interés".

A él no tenía por qué gustarle. Pero la respetaba. Por esto es que oyes a parejas que están felizmente casadas decir: "De verdad nos adoramos… aunque no tengamos nada en común".

Cuando alguien te dice que seas *diferente* a como eres, te está asfixiando. Hay una especie de esclavitud que viene con el dominio.

Recuerda la escena clásica de *Belleza americana*. Al final de la película, Angela, la bella porrista rubia, tiene un altercado con su desaliñada amiga Jane. En cierto momento, Angela le dice a Jane: "¡Por lo menos yo no soy fea!" El novio de Jane le dice a Angela: "Claro que sí. Y además eres aburrida. Y eres totalmente ordinaria, y lo sabes".

Esto es lo opuesto a lo que se les enseña a las mujeres. Algunas no tienen la suerte de tener un padre, maestro u otro modelo a seguir que les diga que desarrollen un conjunto de habilidades, una carrera o que crean en ellas mismas. El mensaje implícito es: las mujeres deben dedicarse a mejorar sus habilidades para atrapar a un hombre. "Algún día llegará un hombre que te cuidará." ¿Lo hace? Sí. Te tiende la alfombra roja cuando *no necesitas* que lo haga. En otras palabras, cuando actúas como si te estuvieras asociando con él porque es guapo y tienes algo de tiempo que perder. No como si él fuera "lo mejor" de lo mejor. Los hombres se dan cuenta de cuánto los necesitas y *de inmediato se sienten presionados y se distancian*. La presión disminuye cuando te apasiona tu vida, no te entregas completa y te enfocas en lograr tus sueños.

Los hombres usaron palabras diferentes, pero abrumadoramente dijeron lo mismo. La presión se vuelve insoportable para un hombre cuando la mujer está obsesionada con la relación, cuando toda su visión del mundo se reduce a él. "¿Qué tal si hace X? ¿Debo hacer Y? ¿Y si dice esto?... ¿Debo decir aquello?" Los hombres suponen que la mujer está obsesionada cuando ella deja de dar su opinión y le da miedo decir: "No quiero hacer eso". O: "No voy a ir allí". ¿El resultado final? Un aterrizaje forzoso.

¿Alguna vez te has preguntado por qué a los hombres los intrigan las pelirrojas? Es porque son diferentes. A los hombres les gusta lo diferente, lo que los demás no tengan.

PRINCIPIO DE RELACIÓN 11
Es mejor no gustar por ser quien eres que ser amada por ser quien no eres.

En la película *Closer: llevados por el deseo*, Natalie Portman le pregunta a Jude Law por qué está tan enamorado de la fotógrafa, representada por Julia Roberts. "¿Es porque tiene éxito?" Jude Law le contesta con sarcasmo: "No. Es porque *no me necesita*".

Para entender mejor por qué un hombre se interesa cuando siente "que eres de una raza diferente", vamos a ver otra página del libro secreto de reglas masculino.

Una página del libro de reglas masculino

Es un mundo de hombres, así que estamos acostumbrados a salirnos con la nuestra. Pero cuando una mujer tiene su propia forma de hacer las cosas, se vuelve intrigante. Aunque parezca que estamos algo confundidos cuando no nos salimos con la nuestra, *secretamente lo respetamos*. De repente, podemos ver las cosas desde una perspectiva diferente. Y entonces pasamos el resto de nuestro tiempo intentando comprender cómo podemos encajar en su atrevido mundo.

Ahora, hablemos sobre cómo introducirlo a… tu mundo sugestivo.

NOTAS

[1] Kim Basinger. Actriz estadounidense famosa por películas como *Nueve semanas y media* y *Pasión por África*.
[2] Tim McGraw: Cantante estadounidense de música *country*, casado con Faith Hill, quien también es cantante del mismo estilo musical.

capítulo 2

Haz que te persiga... hasta que lo caces

Cómo convencerlo de que el compromiso fue idea *suya*

Cuando las mujeres se equivocan,
los hombres van justo detrás.

MAE WEST

La cabrona lo hace
bajar la guardia

No puedes luchar contra un hombre como un vaquero en un rodeo y atarle las patas para lograr un compromiso. Al igual que el becerrito, correrá hecho un demonio para alejarse de ti. En lugar de intentar lazar o enganchar a un tipo, debes cambiar el método. En lo referente a un compromiso, *él se engancha solo.* Todo lo que tienes que hacer es ser femenina, tierna, encantadora y hacer que disfrute estar contigo. Entonces *lánzale* el lazo. Fíjate. Quedará totalmente enredado en él.

En el fondo, los hombres quieren ser corteses. Desean tener una mujer a la que puedan querer y por la que puedan hacer todo. Así como el instinto de una mujer es complacer, el instinto del hombre es perseguir. Quiere que creas que es oscuro, ambiguo y misterioso como James Dean en *Rebelde sin causa*. Quiere sentir que te está cegando con su "mágico" encanto y que te deja atónita. Pero espera… no *tan* atónita. Quiere ganarte… *poco a poco*.

> **PRINCIPIO DE RELACIÓN 12**
> A los hombres les agrada ser curiosos.
> Les gusta sentir que la historia tiene más
> que lo ya conocido.

Mandy es el ejemplo perfecto de la mujer que intentó acelerar este proceso. Brandon quería llevarla a cenar en la segunda cita, pero ella insistió en cocinar. Cuando él llegó, se encontró con una producción de cinco estrellas. Le sirvió *foie gras*, el paté de ganso más fino del mundo. Cuando él extendió la mano para tomar la sal, ella empezó a ofrecer disculpas: "Suelo cocinar mejor". Lo que divulgó fue que se preocupa demasiado… y demasiado pronto.

Esta es la opinión de Brandon: "Yo sé que después del *foie gras*, hay cama. Y sé que quiere un anillo en el dedo. Pero si me da un emparedado o una hamburguesa, significa que todavía tengo algo que probar. Cuando no estoy totalmente seguro de *cuánto* le gusto, entonces es cuando hay un reto".

Si le dejas saber que no te sientes segura de tu atracción sobre él, sabe que eres suya. Y si sabe que eres suya, es poco probable que engendres ese irresistible sentimiento de atracción necesario para que él quiera casarse contigo. En cuanto sea obvio que estás enganchada en un 100 por ciento, ya no hay nada más de ti que sea interesante.

> **PRINCIPIO DE RELACIÓN 13**
> El reto mental no es: "¿Puedo hacer que ella se acueste conmigo?" El reto mental es: "¿Puedo obtener y mantener su atención?"

Un hombre que comienza una nueva relación es como un niño que abre un rompecabezas por primera vez. Si abre la caja y el rompecabezas ya está armado, entonces no es divertido ni interesante. Pero si el niño tiene que pensar, imaginar, formar estrategias y unir las piezas, su mente se está estimulando. Y el niño está encantado.

Cuando se trata de asegurar el interés de un hombre en el compromiso, tu mejor estrategia es comportarte como si te gustara pero mostrando que *no* estás tan interesada al grado de encerrarlo. El objetivo no es ser distante, sólo discreta. Mientras más discreta seas más intentará entrar a *matar*. Y por "discreta" me refiero a que te muestres contenta de verlo, pero *no adoptes el papel de su novia*. Si no te pones en ese papel, bajará la guardia y empezará a *perseguirte*.

La razón es que los hombres están programados para defender su libertad. Él comienza con una media sospecha de que te quieres casar. Así que en el momento en que empiezas a hablar de compromiso, a dar pistas sobre el matrimonio o parece que lo quieres desarmar, te "dará batalla" para pelear por su libertad. En el segundo en el que pronuncies palabras como *monogamia*, *niños* o *camioneta*, construirá un muro. En su mente, toda mujer está buscando un "tonto" para poder tramar su captura… arrestarlo… y tener una vida futura en cautiverio.

¿Alguna vez te has preguntado por qué los hombres leen revistas para mujeres? Están espiando al contrario. Un hombre leerá todos los artículos del tipo: "Cómo hacer que él se comprometa aunque se haya acostado con tu hermanita y tu prima dientona". Siempre muestran la foto de un tipo dándole la espalda a una mujer haciendo pucheros vestida con un sostén de noventa dólares. Así que él piensa: "Todas las mujeres tienen un plan preestablecido".

Lo que empeora las cosas son todos esos horribles consejos sobre cómo una mujer debe "negociar" verbalmente una relación. Ya sea sobre la exclusividad al inicio o para comprometerse un año después, la sabiduría convencional dice que pongas las cartas sobre la mesa y le digas que quieres una relación (como si él no lo supiera). En otras palabras, que aceleres la situación. Estas, las dizque expertas, dicen que ahorrarás tiempo al acortar la caza para que sepas desde el principio si tiene "la cabeza puesta en el matrimonio". ¿Correcto? No tan rápido.

Los hombres tienen un nombre para esto. Lo llaman "la conversación". Es la primera señal de problemas. Estas son algunas de las cosas que las mujeres dicen en la cena, o en la cama, durante los primeros meses:

La temida "conversación"

¿Hacia dónde vamos?

¿Qué ves en el futuro?

¿Cómo te hace sentir el compromiso?

Estoy buscando al ideal.

¿Te gustaría sentar cabeza?

Me niego a perder el tiempo en una relación sin futuro.

Me gustaría tener hijos.

¿Te ves a ti mismo casado? O, ¿vuelto a casar?

Estoy buscando seguridad. ¿Qué buscas tú?

Mi reloj está haciendo tic-tac.

La mujer cree que está haciendo sugerencias sutiles o ayudando a avanzar la situación. Pero, ¿y el hombre? Lo ve como algo *demasiado obvio*. Es tan descarado como ver a un granjero abriendo la boca de una mula para examinarle los dientes: "¡Buen ganado! Me la llevo".

PRINCIPIO DE RELACIÓN 14
Pierdes todo tu poder en el momento en el que empiezas a preguntar: "¿Qué soy para ti?" Porque lo que le acabas de decir es que él impone los términos de la relación.

Si sucede demasiado rápido, con frecuencia él se sentirá obligado a un plan que ya no es suyo. Con sólo hacer una o dos de las preguntas anteriores… ¡puf!

- Se encenderán las alarmas.
- Se pondrá en guardia, y
- Empezará a planear la huida.
- Sólo que no lo demostrará (hasta después de acostarse contigo).

Puede quedarse unos tres meses, o irse a los seis. Pero si tú le dijiste que "no vas a gastar el tiempo en una relación sin futuro" o que quieres casarte antes de un año, todo lo que hiciste fue decirle que eres alguien de quien debe alejarse. Por eso ser directa y "abierta" no funciona.

PRINCIPIO DE RELACIÓN 15
En cuanto un hombre se pone en guardia, no se enamorará ni se comprometerá. La única forma de que se comprometa es que primero lo hagas bajar la guardia.

Es un poco como la actitud de las mujeres hacia el sexo. Si un hombre trata de ligarte en un bar y es demasiado agresivo, lo más seguro es que pienses: "Esto no es un cumplido. Está tan excitado que se iría a vivir con cualquier cosa que use falda". Como el hombre está siendo tan obvio, tú te pones en guardia de inmediato y no quieres nada con él. ¿De acuerdo? Así es exactamente el enfoque de los hombres sobre el compromiso y el matrimonio. Sienten que la mayoría de las mujeres se casarían con un ex convicto desdentado si se arrodilla y les dice que tienen un peinado maravilloso. Así que en el segundo que lo sacas a relucir, o que pareces demasiado obsesionada con asegurar una relación seria desde el comienzo, te ponen en la categoría de: "tiene un plan" o "tiene una estrategia". Y en ese momento *su interés por algo a largo plazo sale por la ventana.*

> **PRINCIPIO DE RELACIÓN 16**
> Cuando una mujer se lanza demasiado rápido, el hombre supondrá que está enamorada de una "fantasía" o de la idea de tener una relación. Pero si él tiene que ganársela poco a poco, pensará que ella se está enamorando de quién él es.

Para él, una vacante en el "rol de novio" o un puesto de trabajo en el papel de "marido" se ve tan deseable como pisar una trampa para osos. Él quiere sentir que ganó a una chica especial que no era fácil de obtener. Y ningún tipo se siente así si ella aparece como si tuviera una vacante disponible desde antes de que él llegara.

Eddie me explicó:

> *Mi ex novia me dijo: "La mayoría de los hombres estarían encantados de casarse conmigo. Y si tú no te casas conmigo, tal vez acabe casándome con uno de tus amigos". Eso es como si un hombre le dijera a una mujer: "Si no te acuestas conmigo, lo haré con alguna de tus amigas". Las mujeres dicen cosas como esa sobre el matrimonio todo el tiempo y no se dan cuenta de cómo suenan.*

En su mente, tú estás abaratando la relación. Quieres rápido un marido, pero no necesariamente estás buscando calidad. Eso lo hace sentir ordinario. Y cualquier persona quiere sentir que es especial.

Además, las bromas no hacen que tus motivos sean menos obvios. Allison es el ejemplo perfecto. Jamie y ella habían salido unas cuantas veces y una noche bebieron demasiado. Ella lo miró y le dijo en plan de broma: "¿Sientes algo por mí, o sólo soy un cuerpo?" Lo que esto le dice a un hombre es que ella tiene la autoestima muy baja. Si ella sabe que no es sólo un buen trasero, nunca haría esa pregunta.

Así que, regla número uno: Tienes que ser coqueta. Debes acercártele de una manera *diferente* a la que está acostumbrado.

> **PRINCIPIO DE RELACIÓN 17**
> Ni siquiera menciones la palabra "compromiso".
> Ese es el truco.
> Mientras menos hables de él, más te acercarás
> a conseguirlo.

De hecho, cada vez que dices la palabra *compromiso* añades unas cuantas semanas o meses. Y no hables sobre exclusividad o monogamia. Mientras menos hablas tú, más dice él. Todas las negociaciones deben ser 95 por ciento no verbales y 5 por ciento verbales. Debes actuar como si aún lo estuvieras conociendo y el compromiso no apareciera en tu radar.

Esto lo desarmará. Ahora es un guerrero sin un plan de batalla porque no tiene idea de cómo actuar. Con la chica buena, puede ver cuál es el plan y ganar. Pero con la cabrona, *no puede* ver ni a su oponente ni el plan. Esto es precisamente por lo que él cae… derechito en las manos de ella.

Así que vamos a practicar. Vamos a fingir que estás en una cita. Imagina que estás sentada en su coche bajo la luz de la luna, besándolo. Mientras él hace sus avances te pregunta: "¿Dónde te ves en cinco años? ¿Te ves casada?" (Y no es que le importe. Sólo tiene que aparentar que está interesado en una "relación plena" para poder anotar.) Así que contestas: "Claro. Me veo casada y con dos hijos. Un niño y una niña".

(¡¡¡Corte!!! Respuesta incorrecta. Vamos a reescribir el guión y a volver a filmar la escena.)

Tienes que presionar el botón que detiene la alarma de tu reloj biológico. Si un hombre te hace una pregunta directa sobre matrimonio o hijos, debes desviarla con una de las siguientes frases:

"¿Matrimonio? ¿Quién, yo? Supongo que si encuentro a alguien lo suficientemente especial podría considerarlo. Pero realmente tendría que ser alguien increíble".

"No ha pasado por mi mente. Creo que dependería de cómo sea la persona y de lo que sintamos uno por el otro".

En otras palabras, actúa con tanto entusiasmo como si te preguntara de qué tamaño es el motor de tu coche.

El punto es no darle *ninguna garantía*. Además, asegúrate de interponer su palabra favorita: diversión. Incluida en una oración: "Nos estamos disfrutando el uno al otro y nos estamos *divirtiendo*". Así se traduce la palabra diversión en un cerebro masculino:

No hay presión. No hay expectativas. No hay exigencias.

Al final de una cita, evita preguntar: "¿Cuándo te volveré a ver? ¿Cuándo vas a llamarme?" En vez de eso, usa tu feminidad. Sonríe, bésalo, dale las gracias y dile lo bien que lo pasaste. Y después asegúrate de echarlo. No olvides la palabra mágica: diversión. Él es "un tipo realmente divertido". Con esto le dejas saber que vives el momento. ¿Sobre lo que ves en tu futuro? ¡Uy! No ves más allá del próximo fin de semana.

Para una mujer, esto parece una tortura o un cruel acto de circo. Pero para un hombre, esto es una relación utópica y un sueño húmedo hecho realidad. De repente, puede relajarse y disfrutar. "Caramba. Qué bien. Por fin puedo acercarme a una mujer sin tener que preocuparme porque quiera atraparme". Te conviertes en esa mujer soñada de la que siempre ha oído hablar, pero que no había conocido. *Entonces baja la guardia y se enamora.*

Por lo tanto, en una cita, habla sobre todo lo que te interesa. Pero no lo atosigues hablando de relaciones, "del futuro", niños o matrimonio.

Lo contrario también es verdad. Si no quieres volver a salir con un tipo nunca más, no dejes de hablar de tu reloj biológico. Dile que tu especialista en fertilidad dijo que tus óvulos saltan por todas partes. Cada vez que veas un recién nacido en el pecho de su madre, di "aaah". Dile que quieres montones de niños, que tu religión prohíbe el uso de métodos para el control de la natalidad y que tu madre se mudará contigo para ayudarte a cuidar a los pequeñines. (Es más barato que tener que pedir una orden de alejamiento, y mucho más efectivo.) Para sellar el trato, compra una tarjeta y déjasela en la puerta de su casa con una sonaja y un Winnie Pooh de peluche. Después escríbele: "No puedo dormir ni comer. Pienso en ti constantemente. No puedo esperar para comenzar nuestro futuro juntos". (¿Ves a Carlos? Ve correr a Carlos…)

La cabrona lo convence de que se "ganó" el compromiso

Una cosa es no ofrecer garantías, pero es algo totalmente diferente si ya pasaron dos o tres meses y todavía pareces un poco insegura sobre cómo encaja él en tu futuro. Debes seguir siendo muy dulce. Eso lo confundirá porque se estará preguntando a sí mismo: "¿Pero por qué no me está presionando para que me comprometa?" En algún momento sacará el tema. Algo bueno que puedes decir sería:

"De verdad me gustas pero no estoy 100 por ciento segura. Todavía nos estamos conociendo".

Su respuesta inmediata será: "¿No estás segura? ¿Qué quieres decir con que no estás segura? ¡Soy el más elegante, el mejor entre los mejores y el más listo!" Automáticamente intensificará su juego para convencerte. ¿Por qué? Para probar que es la mejor elección. Y después recibirás dos por uno. No sólo obtienes un compromiso… sino que lo convencerás de que fue *su idea*.

> **PRINCIPIO DE RELACIÓN 18**
> Si no tiene garantías, se encariña contigo y cree que puedes irte en cualquier momento, es entonces cuando empezará a gustarle la idea de asegurar la relación.

Podría ser que empiece a sospechar que otros hombres andan tras de ti. Y es bueno que dude un poco. Aunque nunca debes hablarle sobre otros hombres. Con que dejes de estar disponible de vez en cuando echarás a volar su imaginación.

La razón por la que mantener un poco de distancia hace que un hombre se obsesione contigo es que nueve de cada diez mujeres *adoptan el papel de novia tras un mes o dos*. Primero, ella empieza a controlarlo con llamadas telefónicas por las noches. Después sus calcetines empiezan a aparecer enrollados y su clóset reorganizado. Sus fines de semana se llenan de bodas, inauguraciones de casas y *baby showers*[1]. Y poco tiempo después, empieza a extrañar el futbol dominical, tirado en un sillón, con las manos dentro de los pantalones (para asegurarse de que todavía los tiene).

Es por esto que los hombres retroceden. El ajuste

es demasiado drástico, demasiado rápido y demasiado fácil. Es como si se hubiera enrolado en el ejército, le hubieran cortado el pelo y ya no tuviera la más mínima idea de quién es. Ahora ya no es "el hombre". Ahora es Bambi en el punto de mira, y la mira está enfocada directo a sus pequeñas pelotitas de Bambi. Así que se escabulle por la puerta… como si le estuvieran disparando.

Recuerda, tú quieres hablar sobre compromiso, pero él no. El compromiso es algo en lo que un hombre debe caer. Es como caer en un hoyo de dos metros de profundidad que no vio hasta que era demasiado tarde. Salió a dar un paseo y ups… mira por dónde… se cayó. "¡Ayuda! ¡Me caí y no puedo levantarme!" Y ahora está pegado al piso como un chocolate relleno de mantequilla de cacahuate.

> **PRINCIPIO DE RELACIÓN 19**
> No hay nada más apreciado por un hombre que algo por lo que tuvo que esperar, trabajar o luchar un poco para obtenerlo.

Los hombres son competidores natos. Y la ironía es que cuando *no te tiene*, es cuando piensa que él está dominando toda la relación y que controla "hacia dónde va". Para él, el dominio es obtener la mujer que en verdad quiere. Quedar atrapado, es que lo lace la mujer que *lo* escogió. Esto último es castrante.

Por eso debes permanecer "tonta como un zorro" y permitirle que crea que él tiene el control. Aquí te digo cómo:

Cómo convencerlo de que es un ganador, bueno... casi

- Empieza aparentando que no te le quieres acercar demasiado. En su mente, esto quiere decir que no es "maravilloso"... todavía.
- Después, anímalo un poco, pero no en exceso. La mejor manera de hacerlo es mediante cumplidos hechos de forma estratégica. "Eres tan listo." Ahora cree que lo admiras, pero que está dominando la relación y está en control de "hacia dónde va".
- Asegúrate de decir: "En verdad valoro tu opinión. ¿Podría pedirte un consejo?" Entonces le tomará una hora completa mostrarte lo "varonil" que es. No se permite bostezar. Simplemente pide otra bebida.
- Sé cariñosa en público. Toca la parte baja de su espalda cuando están esperando para entrar al cine. Mantente cerca de él aquí y allá. Acaricia su mano durante la cena. Roza su rodilla mientras conduce, porque es cuando tiene las manos ocupadas con el volante o con la palanca de velocidades. No lo hagas excesivamente, sólo un poco. Y trata de mantener el sexo a raya.

- Cuando él se vuelva un poco más agresivo, no le respondas de forma "apasionada". Si te toca el trasero o intenta poner una mano cerca de las niñas, síguele el juego un poco, pero no demasiado. Entonces puedes decirle: "Déjame acercarme a ti". Es la fantasía de cualquier hombre: que una mujer le salte encima. Tendrá paciencia mientras sienta que no está perdiendo el tiempo, y vea *una luz al final del túnel*.

- Si te besa y respondes con un: "Sí, cariño, sí, sí", él lo interpreta como: "Está lista para la cama". Si, en lugar de eso, te mantienes tranquila cuando él está haciendo esos avances, se tiene que preguntar qué es lo que tú quieres.

Allí es donde quieres mantenerlo porque ahora está pensando cómo complacerte y convencerte.

- Mientras más tiempo lo tengas en un estado suspendido al no saber si ya te convenció, más te adorará y más se comprometerá contigo.

- Cubre la olla, baja el fuego y déjalo cocinar a fuego lento.

Cuando un hombre está en situación de persecución, tiene la misma sensación que cuando está jugando en una máquina tragamonedas en un casino. Puede perder diez veces seguidas, pero seguirá sentado al borde del asiento pensando: "Ya casi gano". Cada vez que piensa que está perdiendo, todo lo que tienes que hacer es endulzarlo un poco. Si le pides que arregle algo, haces que se sienta un ganador. Si lo convences de que tuvo una gran idea, es un ganador. Si sugiere una película de balazos o una carrera de autos, y le dices: "No, yo no voy", y veinte minutos después le dices: "Tienes razón, vamos a la carrera de autos", ya está ganando otra vez. Cree que él domina todo el espectáculo —siempre y cuando le hagas ver que todo fue su "brillante" idea. Por esta razón llega hasta a comprar un anillo de compromiso más grande. ¿Por qué? Para que otros hombres vean el anillo y digan: "No puedo competir contra eso". Otra vez es un ganador.

Liz y Matt estaban en un romántico bistró italiano, seis meses después de empezar una relación. Antes de que les sirvieran la cena, él dijo: "Mira, no estoy listo para algo muy serio. ¿Y tú? ¿Quieres casarte?" Ella le dio una gran respuesta: "Caramba, esta noche no puedo. Mi vestido está en la tintorería y mañana tengo que levantarme temprano. Pero me siento halagada. Gracias por preguntar". (Un año después, él les contó esa anécdota a los invitados de su boda.)

Cuando dejas pensando a un hombre sobre lo que quieres, lo haces desear un compromiso porque le das la oportunidad de plantear el asunto. Tampoco tiene que preocuparse: "¿Estará enamorada de mí, o estará enamorada de la fantasía?" En lo que se refiere a la ecuación del compromiso, esta es una gran consideración para un hombre.

Por otra parte, si parece que quieres invadirlo, entrará en una "pauta de espera". Lo cual significa que algo tiene la *apariencia* de movimiento pero en realidad no está haciendo ningún progreso. Visualiza un avión que está rodando en círculos por la pista, pero nunca despega. Esto es lo que los hombres hacen con frecuencia en las relaciones. Crean la apariencia de que hay progreso en la relación, mientras la ponen en hielo. Y tú lo esquivas ignorando lo que dice, pero *sin hacer obvio que quieres una "relación plena"*, y observando cuidadosamente sus acciones.

Ya que esto es tan importante, vamos a hacer una recapitulación de la típica dinámica de las citas, *para que puedas reconocer la trampa que no debes pisar.*

Por qué a los hombres les asusta
querer un compromiso

Primero conoce a una mujer que le gusta mucho. Su aura de independencia y un poco evasiva le ofrece una primera impresión importante: *"No me necesita. Le gusto por quien soy. Voy a conocerla mejor"*.

Hasta aquí todo bien. Si ella empieza a sondear "sus intenciones" o "el futuro", él dirá:

"Vamos a conocernos poco a poco y veamos a qué nos lleva". O, "Vivamos el día a día".

Las mujeres algunas veces lo malinterpretan como rechazo. Entonces ella empieza a presionarlo buscando más reafirmación verbal:

"¿Hacia dónde vamos?"

"¿Qué ves en nuestro futuro?"

"¿En dónde estamos?"

(Aquí ponemos pausa.) La razón por la que no obtienes la respuesta que buscas es que si él está operando bajo su propio reloj, el compromiso o la exclusividad será algo que mencionará después de entre tres y seis meses. La mayoría de las mujeres no esperan tanto. Lo mencionan tras dos a cuatro semanas. El hombre tiene que sentirse deseado *por ser quien es* antes de comprometerse, y para él es imposible que tú lo conozcas lo suficiente en dos semanas como para tomar esa decisión. No tiene nada que ver con salir en compañia de otras mujeres o con una "fobia al compromiso". Quiere sentir que te enamoraste de sus cualidades especiales, que su "magnificencia" y "brillo" te convencieron. Y que no aceptarías a cualquier tipo que te buscara. Esta es la razón principal por la que los hombres desisten. Por eso necesitas que parezca que no has tomado una decisión. Él quiere que tu búsqueda esté terminada y completa, que distingas y que no te conformes con el segundo mejor. Si tienes prisa, él pensará:

"Se siente insegura y necesita llenar un vacío. No sabe estar sola".

"Sólo estoy llenando un puesto. Necesita que yo cubra los cheques de sus sueños".

"Su atención o el deseo de asegurar una relación no tienen nada que ver conmigo personalmente".

Aquí es donde empiezan las pautas de espera y las tácticas evasivas:

"Espacio. Necesito espacio".

"Tengo mucho trabajo. Mis circunstancias tienen que cambiar para que pueda comprometerme".

"No es nada que hayas hecho, soy yo. Me caí de la bicicleta en tercero de primaria, y los problemas no resueltos de mi niñez evitan que me comprometa. Mi terapeuta me dice que demasiada intimidad sería perjudicial para mi curación emocional".

> *"No estoy listo… todavía. Pero es probable que me sienta diferente dentro de seis o nueve meses. Mientras tanto, algo de convencimiento podría ser útil, de preferencia mientras estoy desnudo [con los pantalones desabrochados]. Así… sí, sí… así me gusta. No pares…".*

En el momento que "presiones para conseguir una posición" o trates de acelerar las cosas, el tipo se mostrará reacio a los cambios de velocidad. Y esto es igual después de tres meses o tres años. En cualquier intervalo, tienes que hacer que sea *su* idea. Los hombres son cazadores. Y él tiene que perseguirte… hasta que lo caces.

Shawn y Theresa son un ejemplo de lo que suele suceder entre seis y nueve meses después de empezar una relación. Llevaban casi un año saliendo formalmente. Él había estado casado antes. Su ex esposa se iba a volver a casar e iba a dejar su casa de Bel Air. Shawn le dijo a Theresa que estaba encantado de poder regresar a su hermosa casa. Ese domingo, condujo hasta la casa para enseñársela. Al pasar por enfrente, ella dijo impulsivamente: "¡Cuando te cambies, me vengo a vivir contigo!" Hasta ese momento, Shawn había estado pensando lo mismo. Pero cuando ella lo dijo, él deseó alejarse en la dirección opuesta. Sentía que era una decisión que él debía de tomar, no ella.

PRINCIPIO DE RELACIÓN 20
En cuanto una mujer le ofrece un compromiso
más serio en charola de plata, él se mostrará
reacio a tomarlo.

Por esto oyes con frecuencia que a los hombres les da un ataque porque la mujer dejó un cepillo de dientes o una secadora de cabello en su casa. Como en la película *Cómo perder a un hombre en diez días* o en la saga de Carrie y Big en *Sexo en la ciudad*. Hay muchas cosas que hacen las mujeres para "acelerar la situación" que los hombres ven como señales obvias. A las mujeres les parecen inocentes, pero ellos las ven como patentemente obvias. Cuando entrevisté a los hombres, me dijeron que captan hasta los matices más sutiles. La siguiente lista está basada en sus recomendaciones:

- No lo presentes como tu "novio" desde el principio. Esto le sugiere a muchos hombres que te estás preparando para un largo recorrido, y que quieres preservar la impresión de que todavía estás indecisa.
- Nada de miraditas de enamorados. Para ti es romántico; pero para él, lo estás viendo fijamente, exactamente como ve un león a la gacela que va a ser su presa. Si has visto cómo ve un león a una gacela, habrás notado que se

esconde entre los arbustos y la mira fijamente. Así se sienten los hombres si les lanzas miraditas sentimentales demasiado pronto.

- Hablando sobre mensajes de voz, mientras más cortos mejor. Y no le profeses tu amor desde la cima de una montaña. Algo familiar o demasiado acogedor como: (¡Bip!) "Hola, cosita hermosa. Sólo hablo porque te extraño". O: "Hola… soy yo", o: "Tú sabes quién soy", después de una o dos citas, puede hacer sonar las alarmas. ¿Por qué? Debido a la *suposición* automática de que ustedes dos ya son uno solo. Cuando dejes un mensaje, menciona tu nombre y tu número telefónico como si fuera la primera (y última) vez que llamarás. Esto se traduce como: *inalcanzable*.

No le regales fotografías tuyas enmarcadas para que las ponga en la casa y la oficina. Ni tampoco le dispares a las fotos de sus ex novias. Para eliminar de manera adecuada todos los recuerdos de su ex novia, simplemente espera a que se vayan a vivir juntos. Entre el momento de empacar y el de la entrega programada, algunas cajas marcadas como MANÉJESE CON CUIDADO podrán desaparecer misteriosamente e ir a parar al basurero.

- No menciones a su familia o lo lleves a conocer

a la tuya hasta que *formalicen la relación*. Nunca falla. Tu bisabuela lo llamará por el nombre de todos tus ex novios, le recordará que ya no "te cueces al primer hervor", y le preguntará cuándo es la boda. Después gritará: "¡Dónde está la salsa de manzana!"

- No tires la "Bomba-A" durante el primer par de meses. No lo amas, no amas el sexo. Te *gusta* su saco deportivo. Suficiente.

- No uses palabras "new age" como: *nosotros, nos, nuestro, destino, alma gemela*, o nada que deje la sensación de "fraternidad". No uses frasecitas como: *es el destino*, o *el universo me atrajo hacia ti*. Si todavía no se ha decidido, las palabras ñoñas lo van a asustar. Espera a que él sea el primero en usarlas contigo.

- No le hables sobre tus sesiones de terapia, medicamentos antidepresivos o infancia problemática. Y omite lo referente al grupo de apoyo para el control de la vejiga.

- No intentes ser Mary Poppins ni le des el sermón del: "soy digna de confianza". No le digas que amas las obras de caridad, a los huérfanos y a los ancianos. No digas: "Nunca mentiría en una relación". Si lo haces, sabrá que acabas de decir la primera mentira.

- No intentes cambiar sus muebles de sitio para hacer tus visitas más tolerables. Pensará que te estás mudando. No trates de usar el Feng Shui en su casa. Déjala tal como la encontraste, "Ghetto Shui". La única forma de que a él lo emocione el Feng Shui sería si creyera que viene con rollos primavera gratis y una galleta de la fortuna. En lugar de eso, piensa como cabrona. Déjalo a gusto y miserable en su casa, para que cuando visite la tuya sienta que está "mudándose a algo mejor" como George y Weezy Jefferson[2].

- No compres artículos tipo esposa, como toallas o sábanas. Si le compras un regalo, que sea algo menos íntimo, como una cama para su perro. De todas formas, cuando se muden juntos, vas a querer deshacerte de todas sus porquerías en una venta de garaje. Planéalo para un domingo de Súper Tazón cuando esté jugando su equipo favorito. "¿Ves esas cajas grandes de allá? Todo es basura. Pero sólo si las sacas antes del medio tiempo…"

- Si te presenta como su novia, no bailes la danza de la victoria, como si acabaras de encontrar una mina de oro. Míralo sin pudor y dile: "¿Eso soy?"

PRINCIPIO DE RELACIÓN 21
No seas tan directa, obvia, ni estés tan disponible como para dar la impresión de que ya tomaste una decisión sobre él.

Los hombres *quieren* amor y exclusividad tanto como las mujeres. Pero no te lo dirá si es lo que se espera de él o se le está imponiendo, *o si no sintió que tenía opinión en el asunto.* Mientras menos trates de venderte, más segura parecerás. *Todo el arte de la seducción consiste en dar una ligera apariencia de evasión.* Sólo relájate, sal y disfruta, y él vendrá a ti con todas las ideas antes mencionadas. Tu aura debe decir: "Creo en mí". Eso derriba todos sus esquemas: *"Ella está segura de sí misma y sabe cómo manejar una relación".*

La cabrona lo confunde

Una vez que empieces a sentirte cómoda, evita comportarte de tal forma que le permita predecir tu ubicación en todo momento. No debe sentir que puede localizarte a la misma hora del día, de cada día. Por la noche, no le des "una tarjeta de llamadas continuas para obtener consuelo sexual". Si tuvieras que levantarte para responder a sus llamadas, no dejes que se una a ti veinte minutos después.

Ni siquiera durante el día le permitas que se convierta en una "correa electrónica" alrededor de tu cuello con acceso 24/7. Si lo haces demasiado pronto, convertirás la relación en una rutina monótona. Él pensará: "Muy bien, ya la tengo exactamente donde la quiero. Así que voy a ponerla en la lista de reserva y ver qué más hay allá afuera".

> **PRINCIPIO DE RELACIÓN 22**
> Quieres descubrir su patrón de comportamiento,
> pero no dejes que él descubra el tuyo.

Por otra parte, tampoco quieres que parezca como si *él* tuviera que reportarse. El error que muchas mujeres cometen con frecuencia es tratar de vigilar a su hombre, lo que hace que llamarlas se vuelva una obligación temible. Si siente que trae un sistema de rastreo por satélite en el tobillo para evaluar su longitud y latitud en todo momento... felicidades. Se volverá a poner en guardia (y te negará el acceso a su corazón).

No debe saber que estás esperando su llamada, ni que tu felicidad depende de ello. Por ejemplo, Lauren estaba en su casa cuando Hugh la llamó, y empezaron a conversar. Entonces él le preguntó: "¿Qué tienes que hacer el resto de la noche?" La mayoría de las mujeres cometerían el error de decir: "Nada, sólo platicar contigo, cariño". Entonces él pensará: "No se necesita mucho para tenerla contenta". En lugar de eso, Lauren le dijo: "Voy a darme un baño de burbujas escuchando un CD nuevo, y después voy a ver una película. ¡Me muero de ganas!"

> **PRINCIPIO DE RELACIÓN 23**
> Los hombres se enamoran mucho más cuando sienten que están "robando" tu tiempo de otra cosa que podrías estar haciendo.

No se trata de la frecuencia con la que lo llames o si lo llamas ocasionalmente; más bien, de tu conducta al hablar con él. Cuando te llame…

1. Siempre hazle preguntas positivas y alegres como:

> "Hola, ¿qué tal estuvo tu día?"
> "¿Cómo estás?"

Esto le dice: "Cuéntame algo bueno, papacito".

2. Evita preguntarle cosas que suenen como un cazarrecompensas cercando a un fugitivo:

> "¿A dónde fuiste después del trabajo?"
> "No me dijiste a dónde ibas. Estaba preocupada."
> "¿Por qué no me llamaste?"
> "Tu celular sonó y me mandó al buzón de mensajes. ¿Por qué no contestas? ¿Por qué lo tienes en vibrador?"

Esto le dice: "Dime algo malo, cochino, canalla y mentiroso hijo de..."

¿Notas la diferencia? En el segundo en que te enfocas a esperar la llamada o te enojas si no lo hace, es cuando empezará a eludirte. Pero si estás contenta y animada, seguirá bajando la guardia hasta que esté profundamente enganchado. El hecho de que no quieras importunarlo *lo atraerá de una gran, gran forma.* Al comienzo, esa es tu gran ventaja –más que el sexo y más que la belleza.

PRINCIPIO DE RELACIÓN 24
Cuando una mujer hace que el hombre sienta
que confía en él, lo hace sentir fuerte y respetable.
Lo hace querer ser honrado y hacer las cosas bien.

Así como tú quieres sentirte segura, él quiere sentir que confías en él. Lo hace sentirse cómodo y tranquilo: "Esto no es una pérdida de tiempo. Algo estoy haciendo bien". Se fortalece, y le hace sentir que no quiere romper esa confianza. Y hace que quiera protegerte todavía más.

La pregunta que las mujeres hacen frecuentemente es: "Pero, ¿qué hago si quiero que me llame más?" O, "¿qué hago si me molesta que no me llame a cierta hora?" La situación de Mia nos proporciona un buen ejemplo de cómo realizar un cambio en su conducta.

Estaba acostumbrada a saber de John todas las tardes. Él la llamaba a diario desde su coche tras salir del trabajo a las 5 de la tarde mientras estaba atorado en el tráfico. Ella empezó a sentir que él se estaba "reportando", como si ella fuera un pendiente más. Se empezó a convertir en algo *demasiado* conveniente. Pero en vez de pedirle que hiciera un cambio, ella hizo el cambio. Sencillamente dejó de contestarle a las 5 de la tarde.

Si un hombre normalmente puede localizarte a las 5:00 y de pronto ya no puede, llamará a las 6:00… a las 7:00… y a las 8:00, o hasta que te encuentre. Así es como conviertes una llamada telefónica aburrida en un acontecimiento emocionante. A los hombres les encanta sentir curiosidad, echar a volar la imaginación y animarse por una mujer.

(Y no debes negarle ese buen rato tan animado.)

Si quedas de estar en cierto lugar o de llamarlo a cierta hora, es importante que cumplas tu palabra. Las que quieres alternar, son las llamadas *aleatorias*. Aquí tienes unas cuantas maneras de obtener lo que quieres, sin tener que quejarte ni dar explicaciones.

SI ÉL... ☎	TÚ DEBES...
Se toma unas cuantas horas para regresarte una llamada...	Tomarte unas cuantas horas para contestar. Lo que hace la mano, hace la tras. Esto mantendrá la relación recíproca y balanceada.
Si llama para retrasar los planes de las 5:00... a las 6:00... a las 7:00...	Aceptar el primer retraso. Si lo hace de nuevo, presiona gentilmente. Dile que siga con sus cosas y te llame en la semana.
Si te llama mucho más tarde de lo que dijo...	Dejar que se active la contestadora. Es impresionante la rapidez con la que un par de llamadas no contestadas lo harán preguntar: "¿Estás enojada conmigo? Creí que estabas enojada conmigo". (Respuesta correcta: "¡No, para nada! He estado muy ocupada".)

Si te llama a las 9:00 y quiere verte a las 10:00...	Decirle que te vas a acostar temprano. Eso le hará planear sus salidas con más tiempo.
Si te llama después de las 10:00 o a alguna hora en la que sueles estar dormida...	Esperar hasta la siguiente cita y decirle de forma cortés que no te llame después de las 10:00. Esto le demuestra que puedes vivir sin hablar con él y que no te importa tanto dónde está por las noches.
Si quiere verte durante una o dos horas, o sólo durante el tiempo suficiente para tener sexo...	Decirle que no trabajas "en periodos cortos". Sugiérele otra noche en la que los dos tengan más tiempo.
Si no te llama cuando está fuera de la ciudad...	No debe poder encontrarte cuando regresa.

Si está de mal humor y tú no te la estás pasando bien...	Dale un beso en la mejilla, dile que te tienes que levantar temprano al día siguiente y vete a casa.
Sin importar cuántas veces a la semana te llame o quiera verte...	No contestes el 100% de las veces.

PRINCIPIO DE RELACIÓN 25

A los hombres les gustan las reglas y las guías. Si hay algo que no te gusta, te respetará por decirlo. Le gusta saber "lo que debe y no debe hacer".

A la mayoría de los hombres les chifla estar con una mujer que se comporta de una manera que demuestra que tiene una vida plena, y que si él quiere estar en su mundo, tendrá que integrarse a *su* vida.

Esto también mantiene el sabor en un matrimonio. Una amiga mía, Nicole, se acaba de casar con un europeo. Cada año, él visita a sus padres en Europa. Cuando salí a comer con ella, habló por el teléfono celular con él, que estaba en Alemania, y contándole que iba a ir al cine esa noche. Cuando terminó la conversación, con una risita me dijo: "Me llama tres veces al día para ver qué estoy haciendo. Quiere asegurarse de que 'me porto bien' ". ¿Lo llama ella hasta el otro lado del mundo? No.

¿Has notado que a los hombres les encanta distraerte cuando estás hablando por teléfono? En ese momento adoran besarte el cuello o tratar de hacer que pierdas la concentración. No hay nada más interesante para un hombre que una mujer distraída o que no se está enfocando en él.

Ser inasequible o independiente no se trata sólo de la distancia o la proximidad física. Tiene que ver con la cantidad de tu espacio mental al que le das acceso. Pueden estar viviendo separados y que tú seas totalmente *legible*, o puedes estar en la habitación de al lado y ser muy misteriosa.

Por ejemplo, Jenny vive con su novio. Se estaba quejando de que se siente ignorada cuando él está viendo la televisión en el sillón. Y entonces ella hizo algo similar. Se metió a la recámara y se puso a leer un buen libro. A la tercera noche, él apagó temprano la televisión y se metió en la cama esperando mimos. Ella no dejó el libro de inmediato. Como era de esperarse, él empezó a picarla con el dedo, a darle golpecitos y a portarse como niño para atraer *su* atención.

PRINCIPIO DE RELACIÓN 26
A los hombres les encanta saber que hay una pequeña parte de ti a la que no pueden llegar.

Una amiga casada, Linda, me dijo que cada vez que su marido empieza a ignorarla, se mete al baño, saca su estuche de maquillaje, y se pone la cara de chica glamorosa. Después escoge un conjunto bonito y se rocía un buen perfume. Instantáneamente, su esposo se preocupa. "¿A dónde vas tan guapa?" Y Linda le contesta algo como: "A Starbucks a verme con Sue. Tal vez vayamos a ese nuevo club de martinis" o, "Tengo que hacer unos encargos". Y entonces él le pregunta otra vez: "¿Vas vestida... *así*?"

Añade a la ecuación que el marido de Linda *sabe* cuándo la está descuidando. Así que inmediatamente se preocupa de que ella esté buscando atención fuera. Y nunca falla. Algunas veces él la seduce para que no salga, otras veces se encuentra con una reservación para cenar o unas flores cuando regresa.

> **PRINCIPIO DE RELACIÓN 27**
> Los hombres le dan importancia a dónde estuviste, dependiendo de lo arreglada que estás cuando regresas. Si te arreglaste mucho y no estabas con él, lo pondrás a pensar un poco.

Algunas veces las mujeres malinterpretan el cliché: "Los hombres siempre quieren lo que no pueden tener" y asumen que necesitan una rotación de hombres a su alrededor. Por lo tanto, vamos a aclararlo. Él no tiene que competir con otros hombres. No tiene que "ganarle" tiempo a tus otros intereses ni a todas las pequeñas cosas que te gusta hacer.

Mi amiga Helene es una vendedora de bienes raíces que se acaba de comprometer. Su prometido la llamó y le dijo: "Oye, ven conmigo a la hora feliz de un bar". Ella le contestó que no podía porque tenía que mostrar un par de propiedades a las seis en punto. Entonces él trató de persuadirla para que cancelara sus citas. "Anda, ¡es la hora feliz!" Y ella le dijo en tono de broma: "Para mí, la hora feliz es la hora que recibo un cheque por correo. Cuando abro mi sobre, me pongo feliz durante una hora completa".

En el momento que pones tu vida en espera, te vuelves menos interesante.

Lo que debes hacer es establecer una pauta desde el principio, cuando empieza a invitarte a salir. ¿Cómo? Cuando hables con él sobre cuándo verse, menciona ocasionalmente tu "tiempo bloqueado". En otras palabras, el tiempo en el que *no* puede tener acceso a ti. Debes hacerlo de forma muy sutil. No exageres. Pero de vez en cuando lánzale algo así:

Tiempo Bloqueado

"No puedo verte el día X... pero podemos vernos el Y".

Por ejemplo:
"No puedo verte el miércoles porque le prometí a una amiga que iría a su exposición de arte. ¿Quieres que nos veamos el jueves?"

"Este fin de semana no puedo porque viene mi familia de visita. ¿Por qué no salimos el martes en la noche, después de que se vayan?"

"Es una semana difícil. Tengo dos entregas en el trabajo. ¿Nos podemos ver el fin de semana?"

"Caramba, el martes no puedo. Los martes es mi clase de *spinning*[3] favorita. ¿Salimos la noche del miércoles?"

Si él se da cuenta de que *no* es tu única válvula de escape social, tratará de mantenerse dentro de los planes de tu agenda. Y esto tiene mucho que ver con el matrimonio, porque demuestra la característica más deseable que puede tener en una esposa: *Eres una mujer plena por ti misma, y no lo necesitas a él para que valide tu autoestima.*

> **PRINCIPIO DE RELACIÓN 28**
> La fórmula mágica es soltar un poco...
> y después jalar.
> Soltar un poco... y después jalar.

Se parece al juego de "las traes" o al "corre que te aga-rro". Si te quedas quieta, dejará de perseguirte. Pero si no dejas de moverte, él te seguirá persiguiendo. Aun si estás casada, recargas sus baterías cada vez que no puede tener acceso total a ti.

Cuando le preguntaron a Dolly Parton el secreto para estar felizmente casada durante tantas décadas, contestó que sólo empaca y se va de viaje cada vez que le parece que su esposo está un poco indiferente. "¡Ese es mi secreto, querida... sólo permanezco alejada!"

NOTAS

[1] *Baby shower* es una fiesta típica estadounidense que se le da a una mujer embarazada, con regalos tales como baberos y pañales. También se hace en ciertas regiones de México. (N. de la T.)

[2] *The Jeffersons*: Comedia de la televisión estadounidense, que trataba sobre un matrimonio afroamericano de nuevos ricos que se mudan de su barrio de clase trabajadora a un departamento de lujo. Se transmitió de 1975 a 1985.

[3] *Spinning*: Ejercicio en grupo sobre bicicletas fijas.

capítulo 3

El sol sale y se pone en sus calzoncillos

Cómo iniciar en él un incendio que no pueda apagar

No se trata de sexo prematrimonial si no
tienes la intención de casarte.

GEORGE BURNS

Despacio y constante gana la carrera

Los hombres suelen tener un debate "Mary Ann vs. Ginger" sobre quién era la más deseable de *La isla de Gilligan*[1]. A Ginger se le notaba el atractivo sexual a flor de piel y coqueteaba con todos en la isla. La mayoría de los hombres llevarían a Ginger tras los arbustos, y no se molestarían en ayudarla a salir después de terminar. Pero, al mismo tiempo, la mayoría de los hombres se olvidarían de Ginger en menos de un segundo, si eso les diera la oportunidad de estar con Mary Ann. ¿Por qué? Para la mayoría de los hombres, Mary Ann era más deseable sexualmente. Ella era saludable. Y esto hacía volar su imaginación.

¿Qué tiene que ver esto con el matrimonio? Para las mujeres tipo Ginger, él buscará una habitación agradable de hotel para pasar la noche. Pero para las del tipo de Mary Ann, comprará un rancho de millones de pesos sobre cinco hectáreas de tierra, y pondrá dos coches BMW en el garaje. Esa es la chica con la que él se casa. ¿Por qué? Los hombres son territoriales con sus esposas. Con Mary Ann, no tiene que preocuparse de que se acueste con el lechero mientras él está en el trabajo.

> **PRINCIPIO DE RELACIÓN 29**
> Las mujeres escuchan constantemente que
> las relaciones sexuales asombrosas conquistan
> el corazón de un hombre. Esto es falso.
> El que un hombre se acueste contigo no
> quiere decir que le importes. Ni el buen sexo
> va a hacer que le importes.

Es ridícula la frecuencia con la que ves artículos titulados: "100 consejos sexuales que lo volverán loco". La mayoría son tan tontos, que tú te sientes aún más tonta por leerlos. Piénsalo. No es tan difícil complacer a un hombre. (Si no está caliente hazle un sándwich.)

Lo que esos dizque expertos no te están diciendo es que: el sexo arriesgado que te hace parecer una profesional veterana, hará que él "te use y te tire". ¿Por qué? Porque este tipo de sexo se siente vulgar.

Digamos, hipotéticamente, que seguiste los 100 consejos. Apareciste con la lencería comestible, el columpio, los artículos de látex, las acrobacias de alcoba y las esposas de peluche, además de una esfera disco girando sobre la cama. Vamos a decir que le ataste las manos y los pies, y con tus medias te pusiste a gatas y ladraste como perro. Tal vez vestías un disfraz sexy (que tomaste por error de un niño de segundo de primaria que ahora no tiene nada que usar en la Noche de Brujas). La pregunta del millón es: ¿Por qué esto no te lleva a una relación a largo plazo?

SU PRIMERA IMPRESIÓN	LO QUE VE PARA EL FUTURO
Lo primero que piensa es: "Esto es lo mejor que tendré".	No hay reto. No hay nada más por qué esforzarse.
Lo segundo que piensa es: "Fue automático y casi rutinario".	"¿Me pregunto con cuántos otros hombres lo ha hecho?"
Decide: "Lo que yo pueda hacer, nunca será mejor que lo que ella ya experimentó".	Soy común y corriente, por lo tanto el sexo lo es también.

Todo hombre quiere hacerse ilusiones de que él (en todo su esplendor) será el que te familiarizará con el maravilloso mundo del sexo. Él será el que te enseñará algo nuevo. Y que nunca has sentido un orgasmo hasta que lo conociste. Así que cuando sugieres posiciones de las que él nunca ha oído hablar, sabe que ya "te enseñaron". Y entonces piensa: "¿Por qué querría hacer yo truquitos que le enseñó otro tipo?"

Si él cree que tienes más experiencia en el sexo que él, piensa automáticamente a "corto plazo" más que a largo plazo. Y para la mayoría de los hombres eso es un poco castrante.

Entonces les empieza a preocupar si ellos serán los que usen la falda de lunares en la familia (con calzoncitos de lunares que hagan juego).

Obviamente, su primer objetivo es saltar a la cama. El tuyo es conservar la posibilidad de una relación a largo plazo y tener una visión también a largo plazo. Y eso significa que no hace falta subirse a todas las atracciones de Disneylandia la primera vez que visitas el parque.

Mientras tienes el pie en el pedal de freno, él tratará de quitarlo en cada parada. Ya que ningún hombre le da su libro de jugadas[2] a la mujer que está tratando de seducir, decidí volar por debajo del radar para descubrir los trucos escandalosos que usan los hombres para calentar las cosas. ¿Su primer objetivo? Pasar de la puerta de entrada.

SU LIBRO DE JUGADAS	TU LIBRO DE JUGADAS
Al final de la noche, podría preguntarte: "¿Puedo pasar a tu baño?"	Déjalo pasar. Pero espéralo con el abrigo y las botas puestas y el paraguas abierto. No te quites ni una capa de ropa. Ni siquiera los guantes o el sombrero.
Puede tomar demasiados caballitos de tequila y decir: "Estoy demasiado borracho para conducir, ¿puedo dormir en tu sofá?"	Él espera que tú digas: "No te voy a dejar dormir en el sofá, tonto. Puedes dormir en mi cama, pero sólo si te comportas". En lugar de eso, saca el café colombiano y pídele un taxi. Que no pase de la cocina.
Tal vez te ofrezca un masaje: "Últimamente has estado bajo mucha presión. ¿Quieres que te dé un masaje en la espalda? Seré un perfecto caballero, *te lo prometo*".	Cuando empieces a entrar en calor, te preguntará: "¿Podrías desabrocharte el bra? Sólo quiero que estés más cómoda. ¿Podrías bajarte el bikini hasta los tobillos? Quiero masajearte la parte *baja* de la espalda. Ahí está acumulado el estrés... pobrecita".

Podría preguntarte: "¿Puedo pasar un momento para usar tu teléfono? Necesito revisar mi correo de voz, y mi celular no funciona".	Déjalo usar el teléfono. Después, asegúrate de que siga su camino.
Puede intentar el enfoque platónico: "Ve a cambiarte. Ponte cómoda. Finge que no estoy aquí y haz lo que harías normalmente si estuvieras sola".	Su primera observación después de que te cambies será: "Caramba, no trae ropa interior". Y después dirá: "Acuéstate en el sofá. Trae una manta. Vamos a ver la tele".
Último, pero no menos importante, es el truco del abrazo: "Me quedaré a pasar la noche y sólo nos abrazaremos como amigos. Prometo no quitarme la ropa interior. ¡Promesa de *boy scout*!" Y después la historia cambia: "La ropa interior me aprieta demasiado. Me pica. Tengo que quitármela. Odio que me pase esto... ¿te molesta?"	(Fin del juego.) Diez minutos después: "Sólo necesito meterla un segundo, quiero saber lo que se siente estar dentro de ti. No tenemos que hacer el amor. Sólo la puntita... ¡Te lo prometo!" Y cuando te das cuenta, te está montando como a un pony de parque.

La chica buena suele ceder demasiado pronto y después intenta controlar el daño. "Nunca había hecho esto. No, *de verdad*. No suelo hacer esto con alguien que apenas conozco." Cuando los hombres oyen esto, suponen lo contrario. Lo llaman "la defensa antizorras".

Cada vez que oigas las palabras *no te preocupes* o *confía en mí*, ten miedo… ten *mucho* miedo. Eso es lo que le dijo el lobo a Caperucita Roja. Debes creer todo lo que dice si todavía crees en Santa Claus. Cuando un hombre dice: "No te preocupes, te prometo que me comportaré como un perfecto caballero", lo que está diciendo es: "No debes de confiar en mí". Si realmente es un caballero, no necesita anunciarlo.

PRINCIPIO DE RELACIÓN 30
La manera de separar a los competidores de los pretendientes es valorar su actitud sobre esperar para tener sexo. Si le gustas, estará feliz con sólo estar en tu compañía.

El sexo es como el deporte que le encanta ver: el futbol americano. Él intentará "mover el balón" por el campo unas cuantas yardas cada vez. Después obtener una nueva línea de jugada, un primero y diez y otra oportunidad para anotar. Si se esfuerza, aumenta su amor por el juego. "¡Increíble!"

Palmadas en el trasero y descorche de botellas de champán. *Secretamente quiere que le opongas cierta resistencia.* Pues si sólo le das el balón y un campo vacío… le quitas toda la estimulación.

Paige no se dio cuenta de lo anterior cuando trató de seducir a Ted. Habían salido dos veces sin tener relaciones íntimas. En su tercera cita, estaban a punto de salir a cenar cuando ella dijo: "Fui de compras y quiero enseñarte lo que compré". Y sacó crema batida y una tanga hecha de regaliz rojo. "Espero que te guste la fresa porque vamos a probar estas cosas después." Paige creyó que Ted se iría de espaldas. "Esto va a resultar. No será capaz de resistirse. Y se casará conmigo." En lugar de eso, hizo lo contrario: *Aceleró la velocidad a la que él se cansó de ella.*

La primera forma de saber si él realmente está interesado en ti es fijarte en lo que hace fuera de la recámara. ¿Pasa tiempo contigo durante el día? ¿Le interesa lo que a ti te gusta? Esto dice mucho. Aun si te gusta hacer algo un poquito aburrido, como llevar a tu perro al parque, a un hombre que esté realmente interesado en ti le gustará ir contigo. Las tonterías serán interesantes para él porque son cosas que *te* gustan, y para él *tú* eres emocionante.

Para un hombre que busca pareja, una mujer cauta parece tener una mayor autoestima. Laurie es un ejemplo perfecto. Vive en la ciudad de Nueva York y Sean va a trabajar ahí desde Long Island todos los días. Después de dos cenas, la llamó y le preguntó: "¿Podría dormir en tu sofá esta noche? Tengo que trabajar mañana temprano en la ciudad. Así podríamos ir a cenar y estaría a una cuadra de mi cita". Laurie le contestó que no le parecía muy buena idea y no tenía que explicarle por qué. Él entendió; y de inmediato el deseo en sus ojos aumentó.

Las siguientes sugerencias pondrán un tono elegante, para que te vea como alguien a quien debe tomar en serio.

- No le hables sobre los lugares donde te gustaría tener sexo o cuál es tu música favorita para retozar. Él no se casa con la chica que le cuenta, durante su primera conversación telefónica, "que le gusta que Papito le dé nalgadas" con la antena de un coche, en el asiento trasero de un auto.

- Planea actividades. No inicies el patrón de citas de pasar un rato juntos y ver videos. No, a menos que quieras que las reservaciones para cenar suenen así: "Queremos dos hamburguesas con queso, unas papas grandes y unas cuantas tortitas de papa. Voy a dar la vuelta para recogerlo en la segunda ventanilla".

- Vístete un poco sexy, pero no demasiado reveladora. Cuando muestras un poco, pero no todo, lo que él interpreta es: "Esa es una mujer que tiene el control".

- Evita las caricias demasiado profundas en el sofá o la cama hasta que estés 100 por ciento segura de que quieres llegar hasta el final. Siempre es más seguro dar un beso en posición *vertical* en una puerta o un vestíbulo. Hay ciertas razones por las que se le llama "mambo horizontal".

- Invítalo a pasar antes de salir a cenar. Deja que pase por ti a las seis y media si tienen reservación para las siete y media. Tomen una copa de vino y deja que conozca a tu perro o tu gato. Esto ayuda a romper el hielo, y evita el acceso de media noche. Así, cuando lo mandes a su casa al finalizar la cita, no le parecerá tan impersonal.

- No lloriquees frente a una cerveza contándole todo lo malo que era tu ex. No le digas que era un idiota, conducía demasiado rápido o se gastó todo tu dinero. Lo único que logras con esto es disminuir tu valor ante sus ojos. Deja la historia de "pobre de mí" fuera de la conversación. Además, no es nada que a él le incumba. Si te pregunta sobre tu ex, sólo dile: "Una historia larga y aburrida. [*Bostezo.*] Traducción: "Tema superado".

- Cuando los besos empiecen a prenderlos y quieras detenerte, no le digas: "para ya" o "detente" o "déjame" como una niña ñoña.

La clave es detenerlo con tu lenguaje corporal. Si su mano está tratando de conocer y saludar a tu trasero, este es un buen momento para tomar esa manita amistosa y alejarla de ahí. "Si no nos vamos, perderemos el espectáculo." Esto también transmite la idea de que eres una mujer que tiene el control. Con esto estará forzado a sentir respeto por ti.

Es mejor evitar las caricias profundas en el sofá por otra razón: si lo llevas hasta el punto sin retorno y después apagas el interruptor en el último instante, se va a resentir. Además, no sonarás muy convincente si le dices: "Todavía no, quiero que sea especial". Especialmente si llevan más de una hora jugueteando y tu mano está dentro de sus calzoncillos cuando le des la noticia. Ya es un poco tarde para detener la fiesta si su "amiguito" está bailando un cha-cha-chá o un zapateado dentro de sus pantalones.

PRINCIPIO DE RELACIÓN 31
El propósito de esperar no es hacerte ver más elegante. También querrás darte tiempo para observarlo y conocer información importante sobre él.

… Como: si tiene esposa y tres hijos en otro estado. O si todos sus amigos son pandilleros. Quieres descubrir si su ex novia sigue "reconfortándolo" (porque todavía no sabe que ya terminaron). Y quieres averiguar sobre su vida como universitario o si alguna vez salió a patinar por las calles de San Francisco usando un short muy cortito y un leotardo.

El tiempo te permite saber cómo es en realidad. Ver quién es. Y no adoptes la filosofía de sir Isaac Newton, quien dijo: "Todo lo que sube tiene que bajar". No apliques esa regla para el sexo. Recuerda el letrero que ves cuando entras en algún negocio: "Nos reservamos el derecho de admisión", y cuelga uno así en la puerta de tu recámara.

Nos reservamos el derecho de admisión:

SI ES DEMASIADO AGRESIVO

Si está interesado en ti, no presionará demasiado ni te hará proposiciones en las primeras citas pues no querrá aparecer como un cerdo. Si el sexo es lo *único* que le interesa, eso demuestra que no le importa quién eres. Si un poco de resistencia es demasiado para el tipo y desaparece, mejor para ti. De hecho, despéjale el camino y asegúrate de que no haya nada bloqueando la salida.

SI NO SE QUEDA A PASAR LA NOCHE

No te acuestes con un hombre que te diga: "No puedo quedarme a pasar la noche", o con quien no puedes quedarte en su casa. Este tipo ya te está advirtiendo desde antes de tener sexo con él, que su intención es mantenerte a cierta distancia. Si están "acaramelados" y te dice: "No puedo quedarme a dormir", debes contestar: "¿Y quién dijo que ibas a quedarte?"

SI HAY DEMASIADAS "REINAS EN EL CASTILLO"

No te involucres sexualmente con él si es obvio que tiene un harén de "amiguitas" esperando para tomar tu lugar. Y no importa que te jure que son "sólo amigas". Confía en tu instinto.

SI NO TE SIENTES CÓMODA

Tu instinto es una de las cosas más valiosas que tienes. Nunca le permitas a nadie que te haga cambiar lo que sientes. Kim Basinger: "Siento que hay dos personas dentro de mí –yo y mi intuición. Si voy en contra de ella, siempre me fastidia, y si la sigo, nos llevamos bastante bien". No hay nada más importante que tu cuerpo y tu salud. Trátalos como si valieran algo.

La chica buena sabe que ciertos hombres son artistas del "pega y corre", pero les seduce el elemento de la chica traviesa. Antes de que pase mucho tiempo, empieza a convencerse a sí misma de que hay potencial para una relación. "¡Conmigo será diferente! Yo seré la que reforme a este chico. Yo puedo cambiarlo."

Por ejemplo, él está en la cama con una mujer, utilizando todos sus trucos. De repente, ella se detiene y le dice: "Espera, siento que las cosas van demasiado rápido. Casi no te conozco". El tipo se recuesta en la cama y le contesta: "Está bien, pregúntame lo que quieras. Soy un libro abierto". (Es como una negociación de ventas: descubre cuál es la objeción y supérala.) Así que él le cuenta la triste historia de cómo le rompió el corazón su primer amor, y de lo *utilizado* que se sintió. Luego le enseña la cicatriz en su pierna, o le dice que sus padres preferían a su hermano mayor. Y después le toca la mejilla suavemente como si él fuera Fabio[3]. "No es necesario que tengamos una relación sexual si no te sientes preparada", dice (mientras está pensando: "¿Qué otra estupidez le puedo decir para convencerla?"). Y, ¿qué contesta ella? "¡Estoy lista! ¡Y soy tuya!" Empieza la acción. De lo que te enteras después, es que a los vecinos de abajo se les cae yeso del techo hasta las 2:00 am.

Adelanta la trama una semana y oirás un discurso de "informe a la nación". "No sé por qué no me llama. Me dijo que teníamos una conexión. Fue algo afectivo. Me dijo que no era sexo… era hacer el amor.

Me dijo que yo era especial. Tal vez empezamos con el pie izquierdo. Tal vez sólo estamos pasando por un pequeño bache en nuestra relación."

> **PRINCIPIO DE RELACIÓN 32**
> Quien dice ser al principio no tiene mucho que ver con cómo te tratará. Si hay sexo de por medio, te prometerá cosas de las que nunca oíste hablar.

Los sitios *web* de citas son notoriamente engañosos por esta razón. Cuando se le pide a un hombre que marque la casilla para indicar el tipo de pareja que está buscando, ¿cuál crees que va a marcar si sólo quiere sexo?

- Sexo casual sin protección y sin llamada telefónica al día siguiente.
- Compromiso, amor y poemas bajo un árbol.

Marcará la que dice "compromiso". Porque está muy comprometido (con verte desnuda).

Después de todo, los hombres son cazadores. Estamos tratando con una criatura depredadora de sangre roja que se enorgullece de sus habilidades para la conquista. Si fuera legal, los hombres tendrían las cabezas de sus ex conquistas expuestas en una pared del estudio. Un carnero cimarrón… un ciervo de diez puntos… Jennifer… Natalie… y una aventurilla llamada Vanessa (porque los amoríos de una noche también se cuelgan en la pared).

Se dice que el actor Vince Vaughn dijo: "Si no me interesa una mujer, soy directo. Justo después del sexo, suelo decirle: 'Ya no puedo más. ¡Gracias por venir!'" Ningún hombre va a decir: "Nunca me casaría contigo. Pero de verdad tengo muchas ganas de tener relaciones sexuales". Si no está sinceramente interesado en ti, es común que diga lo que quieres oír. "¿Matrimonio? ¿Hijos? ¿Una casa grande? No puedo esperar." Asegúrate de que te entre por un oído y te salga por el otro.

Así que, como eres "la presa", la opción inteligente es no revolcarte en la cama o el sofá sino hasta que lo conozcas bien. Espera hasta que te sientas cómoda. Dale algún tiempo para que te demuestre –y no sólo te diga– quién es, por medio de sus *acciones*. Cenas, flores, y que se porte como un caballero; esto es lo esencial si te ve como la chica de sus sueños.

El fuego entre las sábanas

Cuando ya sean amantes, sigue siendo importante que entiendas esto: los hombres están evaluando el potencial a largo plazo de la relación. Lo primero y más relevante es que la mayoría de los hombres están buscando una mujer que sea natural en la cama y que en verdad disfrute las relaciones sexuales con él. Por lo tanto, le pregunté a los hombres: "¿Cuáles son los indicios para saber si la mujer no lo está disfrutando?" Estas son algunas de sus respuestas:

Indicios de que no estás disfrutando el sexo

John dijo: "Muchas mujeres gritan en un tono que detendría de inmediato a cualquier rinoceronte. Juguetean con su cabello, se ponen en poses exóticas y montan toda una representación en escena. Es como si pensaran que las están grabando en video y que hay un equipo profesional de filmación en la habitación. ¡Luces… cámara… acción!"

Marcus comentó: "Trata de que no sea obvio que estás viendo el reloj o tomando el tiempo. Antes del sexo, no digas: 'Son cuarto para las nueve. Tenemos que acabar en quince minutos, porque *Esposas desesperadas* empieza a las nueve en punto.'"

Kent dijo: "La mayoría de los hombres prefieren una mujer atractiva a la que le guste el sexo en vez de una supermodelo a la que no le guste. Sin dudarlo".

Frank respondió: "Sabes que la mujer no está concentrada cuando está gritando e hiperventilada, y tú ni siquiera estás dentro. Así que dejo lo

---

> que estoy haciendo para ver qué tipo de ruidos va a hacer. Si está gritando y ni siquiera la estoy tocando, siento que puedo ir por un sándwich, regresar y seguir donde me quedé".

Los hombres suponen que dicha representación teatral no tiene nada que ver con su propia actuación. Él pensará: "Bueno, veo que no se está concentrando". Y en cuanto empiece a sentir que no lo estás disfrutando, romperá el trato en lo referente al compromiso.

No hay un panel de jueces dándote una calificación: "Le doy un 9.0 en talento artístico pero un 7.8 en ejecución técnica". Si te hace sentir así, significa que él es un pésimo amante —no tú. Con un buen amante, no tienes que preocuparte de si necesitas operarte los senos o si él puede ver la celulitis en tu glúteo izquierdo, porque el tipo te tiene suficientemente distraída.

Curiosamente, casi todos los hombres con los que hablé me dijeron que rara vez prestan atención a las imperfecciones de una mujer hasta que ella se las señala. La figura femenina les parece hermosa y están admirando lo que está bien. Así que si pasa la mano por tu estómago y tú le dices: "Estoy haciendo abdominales y va a estar plano en verano", pensará que estás ocupada escudriñando tu propio cuerpo, y no pensando en el suyo.

Según los hombres, otro error que cometen las

mujeres es que tratan de verse formales, remilgadas y virginales. Y esto los hace sospechar. Él no es un monaguillo, y sabe que tú no eres virgen. Te verás más elegante si no dices nada sobre tus amantes anteriores. Además, hasta un niño de tercero de primaria puede sumar dos más dos. (Al compás de la música de Mr. Rogers[4].) "Buenos días, niños y niñas. Hoy tenemos un problema matemático. Si la proporción entre hombres y mujeres es igual, y todos los hombres han tenido sexo con docenas de mujeres, ¿es matemáticamente posible que todas las mujeres hayan tenido sexo sólo con tres hombres? El niño que descifre este misterio se ganará una estrella dorada y una gorra con hélice."

La forma en la que los hombres deducen que eres ligera de cascos no es por lo que dices. Te juzgan por lo sofisticado de tu técnica la primera vez que tienen intimidad. Si quieres que te vea como su amor a largo plazo, no debe parecer que la mitad del Arca de Noé ha pasado por tu cama. Por eso no trates de dar la impresión de que eres una campeona experta.

Ten la seguridad de que él va a percibir cualquier señal de que acabas de tener una parranda sexual. Por lo tanto es necesario que hagamos un *tour* por la habitación para asegurarte que des la impresión de ser elegante. Velo como un pequeño "*tour* virginal".

Tour virginal
- La primera vez que tengan sexo, no recicles

ningún tipo de equipo sensual. Úsalo más adelante, y asegúrate de que él vea que lo sacas de una bolsa y todavía tiene las etiquetas. (Estoy hablando en serio, guarda la bolsa.) Hasta entonces, lo que se ve bien es un conjuntito de ropa interior de encaje bajo tu ropa. No te encierres en el baño y te pongas un corsé tipo Madonna con una tanga verde lima y un collar para perros cubierto de remaches. Parecerá demasiado ensayado, y *demasiado* premeditado.

- Nunca abras un cajón en el que tengas novedades exóticas, como un juguete turbo de pilas. Si es más grande que un bat de beisbol y viene con embrague y cambio de velocidades, arruinará el ambiente cálido y cariñoso. Después de todo, no quieres que se sienta como una avioneta Cessna estacionada junto a un Jumbo 747.

- Deja que él sugiera las posiciones sexuales las primeras veces. Si sales con acrobacias (que le hagan decir ¡ay!) y comienzas a montarlo con firmeza como una vaquera, él pensará: "Esta ya estuvo en varios rodeos".

- No tengas tanta prisa en aventar tu ropa en todas direcciones y ponerte en posición de montar. Deja que sea él quien te desnude… despacio. Eso evitará que parezcas una perra en celo.

- Deja que él lleve el preservativo. Y hagas lo que hagas, no uses ningún truco en el cual pongas el preservativo en tu boca y de forma seductiva lo coloques sobre sus partes íntimas. "¡Mírame, mamá! ¡Sin manos!" Pensará que te matriculaste y obtuviste tu certificado de "prosti". Te garantizo que te va a clasificar como de corto plazo. Pórtate como si ni siquiera supieras dónde comprar un preservativo y mucho menos cómo es.

- Si no lleva preservativo, nunca dejes que vea dónde escondes los tuyos. No debe ver el paquete familiar de Costco con 500 piezas (al cual ahora le falta un 75 por ciento). Aunque sea un paquete de 12 y sólo falten 6, eso significa que alguien más estuvo seis veces dentro de ti. (No sería una atmósfera que exprese: "Sólo mía".)

- Si se queja por tener que usar un preservativo, nunca digas: "Todos mis novios lo usan y yo nunca tengo relaciones sexuales sin él". Si tienes un hijo, no digas: "Tienes que usarlo porque me embarazo con mucha facilidad". (Eso serviría para aclarar por qué al paquete familiar le falta el 75 por ciento.)

- A los hombres les encantan las mujeres aniñadas. Les gustan las lociones con aromas ligeros y cualquier cosa que sea suave y femenina. (Si ve que tienes algún sistema de sujetamiento en la cama, puede preocuparse un poco.)

- Todos los hombres se sienten inseguros sobre su tamaño. Si él no está bien dotado, no puedes mirarlo y decir sin querer: "¿Eso es todo?" Lo dice en las letras pequeñas de tu contrato. Es necesario que digas: "Oh. Oh, cielos. No puedo manejar todo eso. Despacio, despacio. Me vas a desalinear la espalda".

- No quieras que él te haga sentir segura constantemente. En vez de: "¿Lo estoy haciendo bien?", pregunta: "¿Te gusta?"

- La primera vez que se quede a dormir, aparenta que no estás *demasiado* preparada con un estuche para pasar la noche, o que estás acostumbrada a que los hombres se queden en tu casa. No le des un par de calzoncillos extra, una rasuradora y un cepillo de dientes. Tampoco dejes los productos para tu mascota dentro de la regadera. Si los otros productos tienen aroma a fresas, usará el champú contra pulgas por error.

- No le sirvas un desayuno de cinco tiempos en la cama. Si tienes alguna revista con la foto de una charola para desayuno, huevos escalfados y lirios del jardín, tírala como medida preventiva para que no tengas ninguna idea brillante. En vez de eso, indícale dónde está la cafetería más cercana y pídele que te traiga un café *latte*. Y una galletita rica.

- Durante las charlas en la cama no susurres en su oído: "Tú me llenas", ni: "Siempre supe que acabaríamos juntos". Él no debe percibir que *tú* lo sedujiste. A ellos les gusta sentir que son *conquistadores* y no los *conquistados*.

Muchos hombres también me dijeron que les gusta saber la opinión de las mujeres sobre su actuación. Sin embargo, no quieren recibir una boleta de calificaciones ni un reporte de todas sus jugadas al día siguiente. No puedes hacer una reseña postjuego de lunes por la mañana con un puntero en la mano y un gran pizarrón en la pared, como si el tipo fuera subnormal. "Esta es tu posición X… aquí. Esta es la que espera O. Esa soy yo. Cuando grite la jugada, tu objetivo será correr, encontrar el hoyo y enfocarte en el punto G".

Para todos los propósitos relacionados con el exceso de ego, cualquier crítica de lunes por la mañana sería abrumadora. Muéstrale o dile lo que quieres *durante* el acto… o calla para siempre. El tacto es importante, en especial cuando se refiere a su actuación y su "mejor amigo". Por lo tanto, le pregunté a los hombres lo que necesitan saber las mujeres para darle placer a un hombre (allá abajo). Estas son unas cuantas infracciones al Código-del-pene que los hombres compartieron conmigo.

Infracciones al Código-del-pene

Martin dijo: "Durante una sesión de sexo oral nunca lo mires con ojitos de borrego a medio morir ni le hagas preguntas tontas. '¿Ya casi? ¿Te falta mucho? ¿En qué estás pensando?' Es como encender una fogata y después tirarle agua fría encima".

Paul comentó: "No intentes ganar tiempo, demorarlo, contenerlo o tener una conversación significativa con él. No es uno de los Muppets ni un Oompa Loompa[5]. No uses palabras como *lindo* ni *adorable* para describirlo, ni le pongas un nombre de mascota como 'El pequeño Skippy' ".

Christopher dijo: "Cuando las mujeres buscan apoyar la cabeza en algo, deben tener cuidado de dónde apoyan el codo. Si su codo está presionando una arteria principal en su muslo, podrías causarle una sensación de entumecimiento en los dedos de los pies". (Y tu "pies danzarines" tendría que ponerse a caminar hasta que se le pase, antes de poder complacerte).

Allen comentó: "Tienes que verte contenta. No debe parecer que deseas quejarte pero no puedes porque tienes la boca llena. Por lo menos, trata de verte un poco más contenta que un gato ahogándose con una bola de pelo".

Es oficial, creo que puedo decir que ya acabé con mis posibilidades de recibir el premio Pulitzer alguna vez. Aunque todavía puedo tener alguna oportunidad de obtener un premio humanitario por compartir la siguiente historia.

Bobby me contó un relato sobre Charlene, quien cometió un pecado cardinal con sus partes íntimas. Charlene estaba recostada en la cama disfrutando la tranquilidad tras el sexo. Bobby ya se había levantado y se estaba vistiendo. Cuando se inclinó para recoger sus calcetines puso la pierna sobre una silla. Charlene pensó que sus "pelotitas" se veían lindas y les dio un golpecito desde atrás para ver si se balanceaban. Mientras se le doblaban las piernas, él empezó a hiperventilar y a ver estrellitas. Predicción de la línea síquica: si haces esto, no vas a escuchar campanas de boda, porque él va a desaparecer para siempre. (Y no te va a recordar con cariño y nostalgia.)

Hablando de las conversaciones íntimas, el silencio es oro. No hagas preguntas como: "¿Fue especial? ¿Me amas? ¿Te gustó? ¿Cuánto? ¿Mejor que con aquella otra? ¿El mejor que has tenido?" Si lo primero que él escucha después de un buen revolcón es: "Eres mucho mejor que ese otro tipo… que terminaba demasiado rápido", se va a sentir uno más del montón. No quiere imaginarte con otros hombres, así que no hagas comparaciones –buenas o malas. Lo que no se ve… no se siente.

Tampoco le creas lo que dice cuando te profesa su amor justo después del sexo. Si empieza a hablar sobre "el futuro", lo que realmente quiere decir es que también fue bueno para él… y que le gustaría intentar una posición diferente (en el futuro).

La postfiesta (El *after*)

A las mujeres se les dice que si aguantan la regla de las cinco citas o el periodo de un mes requerido antes de tener sexo, el hombre se comprometerá automáticamente y "el trato estará sellado". Ella piensa: "El juego terminó. Llegué a la meta. Ya somos una pareja". ¿Verdad? Todavía no salgas corriendo a comprar un juego de dos batas de baño "él y ella". Después del sexo… apenas estás en el medio tiempo, amiga.

Vamos a rebobinar. Te pusiste lasciva y te gustó. Y ahora él se cree un semental en la recámara. A la siguiente mañana, fanfarronea más que un pavo real en época de apareamiento. Canta "We Are the Champions" (Somos los campeones) en la regadera. "Ella se fue cojeando, seguramente le siguen temblando las piernas. Nunca volverá a pensar en el sexo sin imaginarse mi cara rodeada de un halo." Piensa que, como ya tuvieron intimidad, él tiene el poder. (Eso está a punto de cambiar.)

Cuando entrevisté a los hombres, les hice la siguiente pregunta: "¿Qué pasaría si una mujer no se comportara de forma diferente tras el sexo? ¿Qué tal si siguiera siendo agradable, pero actuara como si nada hubiera pasado?" (Ojalá hubiera podido grabar sus reacciones y reproducirlas para que las vieran.) Algunos hombres se pusieron blancos. Uno dijo: "Pondría mi mundo de cabeza". La mayoría admitieron que los volvería locos. (Es bueno saberlo.)

Para entender mejor las dinámicas postfiesta de "él y ella" sobre lo que sucede inmediatamente después del sexo, vamos a examinarlas jugada a jugada.

Jugada a jugada — la postfiesta

LO PRIMERO QUE ÉL ESPERA TRAS EL SEXO

Él ya ha pasado por esta rutina con otras mujeres y sabe lo siguiente: tras el sexo, lo más probable es que esperes que se comporte como un novio. Se va a distanciar sencillamente porque cree que vas a esperar mucho de él. *Actúa como si no esperaras nada absolutamente*. No seas ni más, ni menos cariñosa. No actúes de forma diferente. Sé la misma chica. Enseguida te digo por qué eso funcionará a tu favor.

POR QUÉ SE VA A DISTANCIAR

Los hombres quieren posponer el compromiso. Él va a alterar el patrón de citas para evitar la regularidad y la consistencia. ¿Por qué? Porque para él regularidad + continuidad = compromiso. Por eso los hombres se distancian, hacen las reglas, las rompen, las cambian y las vuelven a cambiar. Llamará más fortuitamente. Tratará de verte sin avisarte con anticipación, e intentará mantenerte en el limbo.

CÓMO CREE QUE RESPONDERÁS A SU DISTANCIAMIENTO

Él espera que estés disponible el 100 por ciento del tiempo. Cuando *presionas*, lo adoras, te aferras o quieres tiempo y necesitas que te dé confianza justo después de la primera vez que tuvieron sexo, pensará que distanciarse y mantenerte a una distancia prudente queda justificado. Y entonces se va a esfumar.

LO QUE DEBES HACER

Haz lo opuesto. Permanece activa. No le contestes siempre el teléfono. Si te llama y estás ocupada, dile que después le regresas la llamada. Permanece atareada con tu propia vida. No estés disponible a última hora ni hagas parecer que estás lista para salir en cualquier momento que él quiera verte.

EL MENSAJE QUE LE ENVÍAS

No llevarás todo el peso de la relación. Ahora se convierte en una relación que él valora porque se da cuenta de que no deseas meterte en algo y darte toda, sólo por una noche de pasión. Ahora te ve como una persona agradable y no como una mujer insegura que exige mucho.

POR QUÉ TE LLEVA ESTO AL COMPROMISO

Él pensará: "Si no se está volviendo loca, creo que

las cosas no están progresando tan rápido como pensé". Entonces regresará a su rutina habitual y seguirá persiguiéndote.

POR QUÉ ESTE ES EL GOLPE DE GRACIA

Es un ligero golpe a su ego. Ahora tienes toda su atención. Él está pensando: "Qué raro, creí que era irresistible en la cama. Mi teléfono debería estar sonando constantemente. ¿Por qué no me está persiguiendo como todas las demás?"

Una mujer que se comporta más agradable y casual después del sexo es *lo opuesto a lo que está acostumbrado a experimentar*. Si un hombre no te llama después de haber tenido sexo alocado contigo, es porque está esperando una reacción de que lo necesitas. Teme a tu intensidad y necesidad. Obtener lo contrario lo tomará en curva y cambiará su orientación rápidamente. Con esto se da cuenta de que eres más fuerte que las demás: "Ella tiene criterio, no es débil. No es tonta, ingenua ni simple. No es el pelele de nadie".

También se preguntará por qué no le estás haciendo las típicas preguntas que está acostumbrado a escuchar:

- ¿Nuestra relación es exclusiva?
- ¿Todo está bien?
- ¿Qué está mal?
- Pareces distante

- ¿Estás enojado conmigo?
- ¿Todo está bien?

Lo que quieres es que él te haga estas preguntas. Si no estás necesitada, a él le obsesionará saber por qué *no* lo estás. "Espera un momento. ¿Por qué no me está gritando ni pregunta dónde estaba? Quizá se está conteniendo. Tal vez necesitaré más para impresionarla. Mejor intensifico mi juego."

> **PRINCIPIO DE RELACIÓN 33**
> Si no pierdes la cabeza tras el sexo, y continúas enfocándote en tu propia vida, automáticamente empezará a verte de otra manera. Y entonces querrá asegurar su relación contigo.

Es como criar niños. Durante el primer año, los psicólogos dicen que debes "entronizar" al niño. Después del primer año, se supone que debes quitarle el trono para evitar que tenga los típicos "berrinches de los dos años". Esto mismo se puede usar con los hombres. Después del sexo, debes asegurarte de que no crea ser él quien manda. Si lo hace, lo más seguro es que no vayas hacia el compromiso.

Muchas mujeres creen que la manera de convertirse en la chica a quien sólo llama cuando necesita sexo, es acostarse con él demasiado pronto. Pero realmente tiene más que ver con *lo disponible que ella esté tras el sexo.*

Ella piensa que después de tener sexo, él ya está muerto y subió al cielo. Ella espera tarjetitas románticas, poemas bajo un árbol y paseos en la playa. Va al salón de belleza para él, se viste para él y hasta sufre quemaduras de tercer grado para que su línea de bikini se vea bien "depilada" para él. Es en ese momento cuando es más probable que una mujer esté a la entera disposición de un hombre y lo llame. Él le dice: "Te extraño, nena. ¿Puedo ir a verte?" (Traducción: "Tengo ganas"). Ella piensa: "Ya es mi novio, así que, ¿qué puede pasar?" Esto es lo que puede pasar: estás relajando tu criterio. ¿Y si lo haces una o dos veces? Felicidades. Acabas de establecer un modelo de visitas tarde en la noche.

> **PRINCIPIO DE RELACIÓN 34**
> Tras el sexo, compórtate como si la relación siguiera siendo nueva.

Los hombres respetan todo lo que les hace esforzarse. Es igual que un adolescente con un auto deportivo nuevo. Si le das las llaves de un convertible de lujo a un chico de dieciséis años en bandeja de plata, se meterá en toda clase de problemas. Recibirá multas por exceso de velocidad, chocará y no cuidará del auto. Pero si este mismo chico tiene que salir a cortar pastos, recortar algunos árboles y preparar unas cuantas hamburguesas durante el verano, protegerá mucho más ese coche. Si un amigo le dice: "Vamos a quemar llanta para ver cuánto corre", le va a contestar: "¿Estás loco? Trabajé todo el verano para comprar estas llantas".

Michael me contó una historia sencilla pero conmovedora sobre cómo su prometida, Kate, se ganó su respeto al mantenerse cuerda después de tener sexo. El primer fin de semana que tuvieron intimidad, Kate recibió una llamada de su tía de América del Sur, el domingo por la mañana. Le advirtió a Michael que podría tardarse un poco en el teléfono. Pasaron cinco minutos antes de que él empezara a aclararse la garganta para darle a entender que quería que colgara. Kate cubrió el auricular y le susurró: "¿Tienes cosas que hacer? No quiero retenerte si te tienes que ir".

Desde luego, este no es el consejo que una esperaría recibir de la columna de la Señorita Modales, que probablemente te recomendaría decir: "Qué grosera soy. ¡Cuelgo inmediatamente y te traigo tus pantuflas!" Kate hizo sentir a Michael que era libre de irse —en un contraste absoluto con la mayoría de las mujeres, que típicamente idolatran al tipo. Lo que le demostró fue: "No voy a dejar de ser la misma de siempre por una noche de pasión. Este es mi mundo y no voy a dejar de vivir como siempre lo he hecho".

> ## PRINCIPIO DE RELACIÓN 35
> A los hombres les intriga cualquier cosa que no puedan controlar totalmente.

Y cuando estás molesta u obsesionada, él sabe que tiene el control. Así que contrólate. Relájate. Después del sexo, haz lo que hacen los hombres. Hazte un sándwich. Ve ESPN. Ordena luchas en pago por evento. Ve SportsCenter[6]. Y después, duérmete en el sofá, en ese punto usadito en el que está marcado tu trasero.

No aceptes que te vaya a visitar sin llamar antes. Deja que se esfuerce. Si lo recoges en el aeropuerto a media noche, llévalo a su departamento y vete. Sin importar la razón, no seas su confort de media noche. En el sur usan el modismo *volverse tonta*. Después del sexo, no te vuelvas tonta por él. Haz que te trate con respeto.

No asumas: "Así son los hombres. No planean las cosas por adelantado. No se desviven por hacer algo". Incorrecto. ¿Se pierde la patada inicial del Súper Tazón? Claro que no. Si algo es importante, lo considera una prioridad. El día del gran juego, revisa las pilas del control remoto, se asegura de que las cervezas estén frías, y calienta su sitio favorito del sofá... una hora antes del volado de inicio.

Cuando no lo persigues, él vendrá a buscar a "su chica". Dana y Adam son la historia perfecta de cómo un hombre seguirá tus pasos. Acababan de tener relaciones y él le dijo que se iba con sus amigos. "Me voy de viaje. [Y se le quedó mirando para ver su reacción.] ¿Te importa?" Esperaba que ella se pusiera como loca y le aseguró que su celular estaría encendido todo el fin de semana, pero ella no lo llamó. Ese sábado por la noche, salió con sus amigas. Cuando regresó tenía nueve llamadas perdidas y cuatro mensajes de voz. (Aviso: no importa que esté muy ocupado. Si quiere localizarte, encontrará tiempo para llamarte.) A la mañana siguiente, Dana regresó de la iglesia y se encontró a Adam sentado en los escalones del frente de su departamento.

> **PRINCIPIO DE RELACIÓN 36**
> Cuando mantienes algo de privacidad y él tiene que preguntarse dónde estás, estimulas su imaginación. En el momento en que no pueda encontrarte enviará una "descripción de la sospechosa" para localizarte.

Jacqueline Kennedy Onassis dijo: "Hay dos tipos de mujeres: las que quieren tener poder sobre el mundo, y las que quieren tener poder en la cama". Y hay un tercer tipo: la cabrona. Ella obtiene las dos cosas.

Manteniendo encendido el fuego del hogar*

*Sólo para cabronas avanzadas

Imagínate a un hombre que pasa caminando por enfrente del dispensador de agua de la oficina. Escucha a dos secretarias hablando, y una de ellas dice: "No le voy a dar nada". De inmediato, se activan sus oídos y la información se guarda en su banco de memoria. Las mujeres tienen ciertas actitudes sobre el sexo que los hombres registran. Por eso la idea de "darle sólo un poco" no sale bien. Si es un buen amante, quiere creer que te está dando tanto placer como tú a él. Y ese "algo" es difícil de resistir.

Dicho esto, hay veces que no quieres tener sexo. Después de todo, las mujeres no somos tan fuertes físicamente. No podemos cargar cajas pesadas como ellos, no podemos abrir un frasco —y algunas veces no tenemos la fortaleza física para querer sexo después de un largo día persiguiendo a los niños o haciendo entregas en el trabajo. Si se lo explicas a él, asegúrate de que sea de una forma que lo haga sentir grande y fuerte y te haga ver a ti como una delicada florecita. Así podrás negociar un masaje en los pies o en los hombros y evitarás que se sienta rechazado. Si se siente rechazado con regularidad, con el tiempo se desconectará de la relación.

PRINCIPIO DE RELACIÓN 37
Para un hombre, una relación sin sexo representa una relación sin amor, sin afecto y sin una conexión emocional.

Como la mayoría de las mujeres no tienen el mismo impulso sexual que los hombres, la frecuencia del sexo suele ser un tema de discusión. La forma de evitarlo es mantenerlo sorprendido en el campo sexual. Así, él obtiene estimulación física y mental, y lo mantienes un poco desprevenido. Cuando el hombre anticipa que tendrá sexo dos veces por semana a cierta hora y en cierta posición, empezará a sentir resentimiento, como si lo tuvieras a dieta sexual con Slim-Fast.[7] Pero si lo mantienes sorprendido, siempre estará recordando las imágenes de los momentos picantes compartidos recientemente.

PRINCIPIO DE RELACIÓN 38
Siempre conserva el misterio. Mantén el sexo esporádico e impredecible. Esto lo hace mucho más intenso para un hombre.

Ahora, en lugar del predecible "bocadito de pavo de los jueves", siente como que nunca está demasiado lejos del buffet-come-todo-lo-que-quieras. Si sueles tener sexo en el pasillo los jueves y lo sorprendes en el cuarto de lavado el viernes, los recuerdos encenderán su mente. Los hombres no olvidan cosas así. Ahora los juegos preliminares mentales duran 24/7 —aunque sigas teniendo sexo sólo dos veces por semana.

Nunca subestimes el poder de lo que le dices a un hombre, antes o después del sexo. Un hombre valorará mucho más una relación y se sentirá mucho más conectado contigo cuando disfrutas genuinamente el sexo y lo haces sentir que "lo que tiene" es extra especial. Si machacas su ego, tu "papacito" rápidamente se va a convertir en tu "papacito malhumorado". Y entonces no va a querer saber de un compromiso.

Después de todo, el camino a su corazón no es a través del estómago… es a través de sus calzoncillos.

NOTAS

[1] *La isla de Gilligan*: Comedia sobre siete personas que naufragan en una isla del Pacífico. El programa se transmitió entre 1964 y 1967. Ginger era una actriz de cine y Mary Ann una campesina. (N. de la T.)

[2] El "libro de jugadas" es el que suele manejar el entrenador de un equipo, por ejemplo de futbol americano, con el conjunto de jugadas que quiere utilizar. (N. de la T.)

[3] Fabio Lanzoni: Modelo italiano que ha aparecido en la portada de cientos de novelas románticas. (N. de la T.)

[4] *Mr. Rogers' Neighborhood* (*El vecindario del señor Rogers*): Programa de televisión infantil, de la cadena PBS, en el que el Señor Rogers hablaba directamente a los niños sobre diversos temas. El programa se transmitió de 1968 a 2001. (N. de la T.)

[5] "Muppets": Marionetas creadas por Jim Henson para un programa de televisión. La más famosa es la Rana René.

"Oompa Loompa": Personajes de la película *Charlie y la fábrica de chocolates*. Son los trabajadores de la fábrica y cantan para ayudar a la gente con sus problemas. (N. de la T.)

[6] ESPN: Cadena de televisión con programación deportiva. SportsCenter es su noticiero deportivo más famoso. (N. de la T.)

[7] Slim-Fast: Malteadas y tentempiés dietéticos. (N. de la T.).

capítulo 4

Presionar el botón femenino: una tradición popular masculina

Por qué los hombres fastidian deliberadamente a las mujeres para entender su postura

Bueno, ya saben, chicos. Un reactor nuclear
se parece mucho a una mujer. Sólo tienen
que leer el manual y presionar el
botón correcto.

HOMERO SIMPSON, en LOS SIMPSON

Recuperando el control remoto
de tus emociones

Si fueras una mosca en la pared escuchando hablar a un grupo de hombres, no sería difícil que los oyeras discutir sobre cómo los hombres son "lógicos" y las mujeres son balas perdidas sin control sobre sus emociones. Como la tarta de manzana y el beisbol, condolerse con sus amigos figura entre sus pasatiempos favoritos. Beber… jugar golf… cazar… pescar… y un buen intercambio a la antigüita de historias de mujeres.

Es por esto que los hombres aman las líneas de Jack Nicholson en la película *Mejor… imposible*. Cuando le preguntan al personaje de Nicholson cómo puede describir tan bien el temperamento de una mujer, él responde: "Pienso en un hombre.

Después le quito el sentido común y la sensatez". Así es como muchos hombres perciben a las mujeres.

Ese es el secretito que no quieren que sepas: un hombre te va a fastidiar deliberadamente, te va a provocar y después estará alerta a tu respuesta. Conscientemente va a sondear alrededor de tu fachada de "chica buena" para ver con qué deberá tratar. Quiere saber cómo es tu columna vertebral. Quiere ver cuán lista eres y lo alerta que estás. Quiere ver si te das cuenta cuando se comporta mal.

Ningún hombre llega por la noche y te dice: "Querida, necesito un rato de caricias y besos". En lugar de eso, tratará de obtener tu atención provocándote. Así, descubrirá cómo están las cosas según lo sensible que te comportes. *Cuando te enojas sabe que te importa y que él tiene el control.*

> **PRINCIPIO DE RELACIÓN 39**
> Cuando una mujer reacciona de forma emocional, los hombres reciben tres cosas: atención, control y una sensación de importancia.

En el mundo real, las relaciones no suelen funcionar como un argumento clasificación "A", acerca de la luz del sol y unos cachorritos. Mientras que las mujeres no le ven la lógica a molestar a propósito a nadie, los hombres ven estas pruebas como una herramienta. Cariñosamente llamo a este proceso "festival de la prueba".

Festival de la prueba

Un ritual de citas estratégico y premeditado
que incluye presionar tus botones. La prueba
suele iniciar con él retirándose de alguna
forma sólo para ver lo que sucederá. Puede,
deliberadamente, olvidar llamar.
Puede voltear a ver a otra mujer. En cada
caso, está evaluando tu respuesta. Él
espera un *reflejo involuntario* causado
por falta de autocontrol emocional.

Después de todo, las relaciones no suelen venir en
paquetitos pulcros. Y algunas veces un hombre presionará tus puntos de tensión sólo para ver cómo reaccionas. En el momento en que ve emociones sobre-
cargadas que él considera desproporcionadas al des-
aire percibido, te clasificará como una mujer a la que
no se debe tomar demasiado en serio. Si empiezas a
patalear, llenas la habitación de lágrimas y comienzas
a gritar en un tono que detendría a un rinoceronte en
seco, *sabrá cuánto poder tiene sobre ti*. Y:

> **PRINCIPIO DE RELACIÓN 40**
> Cuando eres fácil de manipular, él supondrá
> que no tiene que dar tanto en el tema del
> compromiso para mantenerte ahí.

Si, por el contrario, no te desquicias y le respondes con claridad, lo verá como una señal tuya de fortaleza. Aumentarán su confianza y su respeto y querrá llevar la relación al siguiente nivel. Cambiará de velocidad de inmediato, porque se dará cuenta de que está tratando con *un igual*.

Por ejemplo, digamos que un hombre llega a casa después de un día de trabajo realmente duro. No te va a decir: "Querida, necesito atención". En lugar de eso, iniciará una pelea verbal contigo. Y logrará un sentimiento de satisfacción después de que hacen las paces y se besan. Esto lo anima a usarte como un costal de boxeo emocional. Por lo tanto, no le debes dar ninguna recompensa. Dile: "Está bien. Veo que tuviste un día pesado. Voy a dejar que te tranquilices y regresaré en una hora. Pondré una cerveza para ti en el refrigerador. Para cuando salgas de la regadera ya estará fría. Nos vemos luego". Después vete unas dos horas. Así obtendrás todo su respeto, ¿por qué? Porque estará pensando: "Eso estuvo bien. Me vio venir y me leyó como a un libro abierto. Hmm… qué bien la libró. Creo que si me sigo portando como un idiota me va a cambiar por otro".

> **PRINCIPIO DE RELACIÓN 41**
> La mejor forma de poner límites a un hombre cuando está probándote es controlar las subidas y bajadas de tu atención. Una reacción emocional siempre es una recompensa, aunque esta sea atención negativa.

Ten presente que él no considera estar portándose como un idiota, porque tiene un propósito específico. Así que sondea alrededor de los bordes para descubrir:

- ¿Cuáles son las cosas importantes que todavía no sé sobre ella?

- ¿Cómo será en su peor momento o cuando alguien se porta mal con ella?

Es un cruce entre un juego de "Te atrapé" y la rima infantil *Pop Goes the Weasel* (¡Pop!, hace la comadreja). (Pista: tú eres la comadreja.) Él quiere ver si serás capaz de defenderte o si te vas a derrumbar como una niña de cinco años haciendo un berrinche en una juguetería.

Recuerda que hay una línea muy delgada entre una prueba y una falta de respeto. Así que vamos a hacer una comparación rápida.

Una prueba	Contra una falta de respeto
Justo después de tener sexo, se distancia para ver cómo reaccionas.	Las faltas de respeto son repetitivas y continuas. Su falta de atención es más evidente, más mezquina, y casi siempre es una señal de que la relación se ha desgastado con el tiempo.
Una prueba Él llama para cancelar una cita, sólo para ver cómo respondes y si serás flexible.	**Contra una falta de respeto** No llama. Sólo te deja plantada y te llama uno o dos días después para contarte una historia medio inventada.
Una prueba Mira a otra mujer para ver cómo reaccionas, esperando que no sea colgándote más de él.	**Contra una falta de respeto** Habla con otra mujer durante toda la fiesta, sin siquiera considerar cómo te sientes.

Una prueba	Contra una falta de respeto
Puede tomarte el pelo en plan de broma, o acosarte o burlarse de ti, jugando.	Te humilla, denigra o hiere de forma deliberada.
Una prueba Puede llegar tarde.	Contra una falta de respeto Desaparece. Después de una semana regresa y te llama inesperadamente, como si no hubiera pasado nada. Por lo general, te llama muy tarde por la noche.

En cierto sentido, no existe "una pequeña" falta de respeto. Porque cuando un hombre ve que aceptas un poco, se siente tentado a ser más audaz. La forma más rápida para sentirse abatida es dejar que alguien abuse de ti, porque cuando te des cuenta, te odiarás por permitirlo. Así que debes identificar lo que está pasando antes de aprender a responder.

La primera pregunta sería: ¿Deberías defenderte hablando? ¿O sin hablar? Para evitar caer en sus manos, debes ser cabrona con tus acciones, no con palabras.

PRINCIPIO DE RELACIÓN 42
Los hombres escuchan lo que ven.

En la película *Golpes del destino*, Morgan Freeman dijo: "Algunas veces la mejor manera de tirar un golpe es *dar un paso hacia atrás*." La siguiente sección te enseñará a hacerlo con elegancia.

Botón femenino 1:
Puede intentar darte celos con otra mujer

En Inglaterra, hay un proverbio que dice: "Una mujer que no se encela es como una pelota que no rebota". Este proverbio puede ayudarme a explicar por qué los hombres usan los celos para probar a las mujeres. "¿Cuánto rebotará? ¿Será como una máquina de *pinball* con campanillas y pitidos? ¿Puedo hacer lo que me dé la gana si le compro una docena de rosas?" Si es así, qué divertido. Para una sola persona, desde luego. Los hombres saben que la competitividad vuelve débiles a la mayoría de las mujeres, lo que hace que los celos sean el Cadillac de todos los botones que pueden presionar.

Una de las primeras cosas que podría hacer un hombre es tratar de convencerte de que todas sus ex novias todavía quieren algo con él (hasta la que lo dejó por *otra mujer*). ¿Su versión?: "La dejé con mucho tacto, pero no ha podido olvidarme". Si va un día al zoológico, hasta la gorila quiere con él. En otras palabras, quiere embaucarte para que creas que todas las mujeres entre los dieciocho y los ochenta lo desean, para hacerte creer que es un buen partido.

Por eso te llevará a un restaurante y adulará a la mesera. O volteará a ver a una mujer en el cine. Por eso mismo le dará un abrazo extra largo a una amiga suya frente a ti. Y no va a ser el tipo de abrazo que le daría a un amigo. Siempre es el tipo de abrazo que te hace querer tirarles agua encima para separarlos como si fueran un par de perros.

Carmen llevaba varios meses saliendo con Sam. Él quería saber dónde estaba parado y decidió abordar el asunto hablándole sobre la chica nueva de la oficina. "Hay una chica en mi departamento que siempre me coquetea y me deja notas". (El foco rojo es que te lo esté anunciando. Esa es la primera pista de que no tienes nada de qué preocuparte.) Carmen le contestó: "Te compadezco. Y sé lo molesto que puede ser. Conozco un físico-culturista que vive molestándome. Quiere que me vaya a Europa con él, y apenas lo conozco".

PRINCIPIO DE RELACIÓN 43
Cuando un hombre intenta ponerte celosa, rara vez tiene algo que ver con que desee a otra mujer. Cuando te molestas se siente seguro de que te importa.

Piénsalo: si en verdad hubiera alguna otra, ¿te lo diría? También podría sacar una cartelera que dijera: "No hay ninguna otra, *de ninguna clase*. Y obtengo el suficiente tiempo para 'mí' en la regadera". Si un hombre hace algo tan obvio –como dejar la tarjeta de negocios de una mujer en un lugar donde sabe que la vas a ver– lo más probable es que lo esté haciendo para llamar tu atención y asegurarse de que te importa. Puso la tarjeta para que la vieras. Si un hombre mira a otra mujer cuando estás a unos centímetros de distancia de él, no debes de pensar: "¡Radar! ¡Radar! Hay otra mujer mejor que yo. No soy lo suficientemente buena". Lo hace porque sabe que te vas a dar cuenta.

Por lo tanto, aplica el axioma de Hollywood: "*Si no hay público… no hay función*". Si no tienes ninguna reacción no alentarás ni reforzarás el mal comportamiento.

Un ejemplo clásico es Gary, quien llevó a Lindsay a la fiesta de Navidad de la empresa y después la dejó sola y se fue a hablar con unas cuantas compañeras atractivas. Se fue durante cuarenta minutos. Lo que algunas mujeres habrían hecho sería quedarse junto al tazón de ponche toda la noche, haciendo pucheros. Pero Lindsay usó el enfoque "lo que hace la mano hace la tras", y se fue a conocer a algunos de los guapos solteros que había en el lugar. Cuando se le derramó la bebida, se vio rodeada de hombres que intentaban ayudarla a secarse. Gary volteó, y describió la escena como "una manada de lobos abalanzándose sobre mi tierna corderita". Terminó su conversación y se fue directamente hacia su invitada. ¿Volvió a dejar sola a Lindsay en fiestas después de eso? De ninguna manera.

Otra variación del botón de celos es el hombre que dice: "¿Sabes?, lo único que extraño de mi ex es que era una excelente cocinera". Permíteme traducir: Tiene hambre. Quiere que vayas a la cocina y te conviertas en chef. Espera que le prepares un banquete digno de un rey, y todo para que compitas con una ex de mentiras que ni siquiera existió. Podría decirte: "Siempre tenía la casa limpia". *Lo que quiera que tú hagas con mayor frecuencia, será en lo que supuestamente ella era buena.* Es por esto que algunos hombres alardean sobre la comida de su madre ante sus esposas —para seguir teniendo comida caliente.

Una amiga mía, madre soltera, tiene un hijo de doce años que visita a su padre regularmente. Cuando regresa a casa, alardea sobre la comida de su madrastra: "Candace hace el mejor pescado frito". Así que, como ves, empiezan temprano. (Ese es un futuro esposo, en entrenamiento, de una niñita desprevenida.)

Esto me recuerda una linda historia sobre una amiga mía. Convenció a su marido de que era una cocinera *gourmet* sin nunca haberle cocinado ni siquiera un platillo. ¿Cómo? Un día, fue a una venta de garaje y compró toda una caja de utensilios de cocina por diez dólares. Compró un juego completo de ollas, cronómetros de cocina, enormes jeringas y un montón de espátulas. Nunca en su vida había cocinado. Pero se aseguró de causar una fantástica impresión cada vez que él iba a verla y todas las ollas estaban visibles sobre la estufa o en el fregadero. ¿Lo ves? Justo cuando pensabas que una mujer desnuda dentro de una bañera con burbujas era su máxima fantasía, te das cuenta de que las ollas con burbujas son una opción igual de buena.

Muchas veces se dice que los hombres se casan con sus madres. Pero no tiene por qué ser cierto que quieran a una mujer que use un mandil y un gorro, cocinando panecillos esponjosos en la cocina. Tiene más que ver con que "las madres saben qué es lo mejor". En otras palabras, quieren una mujer competente que piense por sí misma, maneje su vida, se haga cargo y les diga que se dejen de tonterías —como lo hacía su mamá durante su niñez.

Cuando trata de ponerte celosa, lo que quiere es ver quién está detrás del volante. Pero cuando su pequeño plan se sale de control y te ve tomar una desviación inesperada, jala el freno de emergencia y se reposiciona. Empieza a obedecer las reglas de conducción, y desde entonces conduce con buen juicio.

Sophie salía con Tyler y tenían una relación estrecha. Tyler le contó sobre una amiga que, según él, "lo quería". (Otra vez, lo está anunciando. Es obvio. Eso significa que ella no tiene nada de qué preocuparse.) Sophie analizó la situación y respondió calmada: "No quiero interferir, y no me gustaría que tomaras una decisión equivocada. Si quieres salir con otras personas, está bien. Ve si te gusta y avísame cuando hayas tomado una decisión". Sophie colgó el teléfono, y al día siguiente Tyler le mandó rosas al trabajo. Cuando ella lo llamó para darle las gracias, la invitó a pasar el fin de semana en un romántico hotel en Santa Bárbara. Nunca volvió a mencionar a la mujer misteriosa.

Si no reaccionas, ¿adivina qué? Ups. El botón queda desconectado permanentemente y ya no es divertido presionarlo. Si él continúa haciendo referencias inocentes sobre cierta ex, de forma repetitiva, todo lo que tienes que hacer es darle una sopa de su propio chocolate: "Luke me hacía reír tanto. Y mis papás lo adoraban". Nunca volverá a ver una película de la serie *La Guerra de las Galaxias* sin retorcerse cuando oiga el nombre de Luke.

> **PRINCIPIO DE RELACIÓN 44**
> Cuando tú empiezas a hacer lo mismo que él está haciendo, repentinamente su mala conducta desaparecerá como por arte de magia.

¿Darle una sopa de su propio chocolate significa que estás "usando artimañas"? En absoluto. Para empezar, era *su* juego. Él te metió a jugar, pateando y gritando. Corrió a primera base, se robó la segunda y rodeó la tercera. (Tú solamente terminaste el juego y lo trajiste a casa.)

Botón femenino 2:
Puede olvidar llamar, llegar tarde, o distanciarse de alguna manera

Los hombres están acostumbrados a tener la sartén por el mango. Cuando un hombre se comporta un poco distante, te está observando para ver cuán persistente te vuelves. Al igual que a las mujeres, a los hombres les gusta hacerse los difíciles. Si tiene el presentimiento de que aceptarás seguirlo a todos sitios como un cachorrito, lo siguiente que hará será ver si "te lo ganas" como un perrito saltando por una galleta. (Debes hacerle saber que tu segundo nombre no es Sparky.)

Dicho esto, *debe* sentirse deseado. Tiene que sentirse valorado, apreciado y adorado. Pero no lo hagas justo después de que se portó mal; si no, crearás un monstruo.

Un ejemplo perfecto es Thomas, quien estaba acostumbrado a obtener una reacción de Faith cada vez que salía con sus amigos hasta tarde a beber. Faith le había pedido muchas veces que la llamara cuando pensara regresar tarde. Él no lo hacía. Así pasó un año. Un viernes por la noche, entró de puntillas a las 4:00 de la mañana, fue al refrigerador y tiró un par de cervezas por el fregadero para que pareciera que había llegado más temprano. Después de crear la escena del crimen con las botellas vacías, se durmió en el sofá. Cuando se levantó el sábado por la mañana, Faith no estaba. Una amiga azafata la había llamado para preguntarle si le gustaría ir a pasar el fin de semana con ella a Hawai. Thomas no lo sabía, y durante el resto del fin de semana se volvió loco, sintió pánico y llamó a sus amigos y familiares para localizar a Faith.

(Adelantémonos día y medio.) El domingo por la noche, Faith regresó dando brincos, bronceada, oliendo a aceite de coco y con un collar hawaiano precioso en el cuello. "¡Aloha!" De repente, los papeles se invirtieron completamente. "¿Por qué no llamaste? ¡Me tenías muy preocupado!" Y después le dio todo un sermón sobre por qué debería ser más considerada. Faith lo escuchó mientras se comía unas nueces hawaianas Mauna Loa. Y después le respondió: "No entiendo por qué estás tan enojado. ¿Qué no te traje nueces? Además, si sumas todas las horas que has pasado bebiendo con tus amigos en el último año, las horas que yo me fui no son ni siquiera una pequeña fracción". Después, se pavoneó escaleras arriba para desempacar. Thomas nunca volvió a olvidar llamar a Faith. Salía la mitad de lo acostumbrado, regresaba a una hora decente y hasta le regaló un celular lujoso para que siempre pudieran estar en contacto.

PRINCIPIO DE RELACIÓN 45
Cuando un hombre no llama, por la mente de la mujer suelen pasar un montón de escenarios diferentes. De igual manera, no saber nada de ti, desbocará su imaginación.

Si no puedes pagar un viaje a Hawai y no conoces a ninguna azafata, hay otra alternativa mucho más barata para lidiar con el dilema de "mi pareja aparece justo antes del amanecer". Hay un nuevo invento que venden en Home Depot o en cualquier ferretería, usualmente llamado pasador. (Cuando se utiliza en temperaturas muy frías, tiene una tasa de efectividad del 99 por ciento.)

Cuando un hombre llega tarde o no llama, tiene el control. Algunos hasta usan la fachada del chico fiestero: "Madre mía, qué resaca tengo. No sé cuántos Mai Tais me tomé anoche". Probablemente comió unos cuantos cacahuates, una aceituna robada en el bar y se tomó una cerveza baja en calorías. "Si me paso la noche bebiendo, ¿ella dejará las marcas de sus pisadas caminando de ida y vuelta?" Así que, actuará como si fuera un cerdo bebedor de cerveza… y se mostrará muy orgulloso de serlo. ¿Por qué? Porque cuando sabe que alguien lo está esperando, preocupada y molesta, se siente atendido. Es lo mismo que sientes cuando él te manda rosas, una limusina y boletos para el teatro.

Hasta los adolescentes lo hacen con sus madres. Stevie, de trece años, me dijo: "Si sé que mi mamá me va a gritar, a veces me quedo en las maquinitas hasta más tarde y me como otra paleta de soda. Si la llamas mientras estás fuera, sabes que te va a gritar igual. Así que, ¿para qué estropear la diversión? Es mejor que te grite una vez, cuando llegas a casa, que dos".

Por otra parte, si llega a casa y tú ni siquiera estás ahí cuando haga su entrada triunfal, esto pierde el chiste. "¿Dónde estará? No recibí mi golpe de adrenalina. Espera, no le importa dónde estoy ni dónde estuve. ¿Por qué no está enojada?" He oído a ciertos hombres comentar: "Regreso tarde porque eso hace que mi novia me aprecie más". (Su reacción le hace sentir seguridad de que le importa.)

Tan común como el escenario "beber hasta tarde" es el escenario "trabajar hasta tarde". Brett llevaba poco tiempo saliendo con Andrea. La llamó para decirle que estaba pensando cancelarle porque había tenido un día agotador en la oficina. Era obvio que quería "improvisar". Cuando Brett la volvió a llamar a las cinco de la tarde, tenía un segundo aire y quería ir a verla, pero Andrea ya tenía otros planes. Ella usó las palabras mágicas: "No quería que te sintieras presionado. Así que hice planes para ir a una barbacoa".

Recuerda esta frase mágica: *No quiero que te sientas presionado*. Funciona como un hechizo con los hombres que en verdad trabajan mucho. Los hombres exitosos me explicaron que constantemente manejan exigencias para cumplir con sus obligaciones, presiones y compromisos en el trabajo. Lo último que necesita si es "Donald Triunfo" es una amante que le dé más de lo mismo. Sé la excepción a la regla.

Si tiene una razón legítima para no llamar, compréndelo. Si se lo vas a mencionar, la mejor manera es ser directa, usar el razonamiento y mantener mesurada tu respuesta. Esto demuestra tu autocontrol. Si el chico llega tarde un par de veces, en un tono realista dile: "Me he dado cuenta de que siempre llegas tarde. Así que si hacemos una cita, y no estás aquí a las ocho y media, me voy a ir corriendo a mi clase favorita de Pilates, que empieza a esa hora. Por lo menos avísame para que no te extrañe". A esto se le llama una "mentira verdadera". Le estás diciendo "avísame" en lugar de "llámame" y le estás diciendo que vas a realizar otros planes si te deja colgada. El enfoque casual le quita el tono de "reclamación". ¿Traducción? Autocontrol.

PRINCIPIO DE RELACIÓN 46
Mientras más racional y calmada permanezcas, él se volverá más sensible.

Mantén la antena del radar alerta. Si te dice: "Estaba con mis amigos y no me di cuenta de la hora", o: "Se me olvidó completamente", eso debe enviar una señal a tu radar de que lo hace para obtener atención. Si le das un poco, lo volverá a hacer, así que actúa como si no te hubieras dado cuenta. La única vez que *debes* sacarlo a relucir es si tenías ciertos planes que él te estropeó por no llamar. Y después deja caer la guillotina. ¿Cómo? Con los hombres, no debes empezar a contar una larga historia que te lleve a donde quieres llegar. Eso le dice que te sientes insegura. En vez de eso, sólo menciónalo… arréglalo… y olvídalo.

1. Menciónalo. "De aquí en adelante, no me dejes colgada. Mi tiempo es valioso para mí y pude haber hecho otros planes".	**Entre líneas:** Fíjate: dijiste que *tu* tiempo es valioso. No le estás indicando que tu tiempo *con* él es valioso.
2. Arréglalo. "Por favor, te pido que conmigo tengas la misma cortesía que tienes con tus clientes".	**Entre líneas:** Estás comparando la situación con un ejemplo laboral. (He aquí una mujer lógica.)
3. Olvídalo. Ahora olvida el tema como si nada hubiera pasado.	**Entre líneas:** Traducción: las negociaciones terminaron.

Lo que muchos hombres deducen es que cuando les dejas pistas o andas con rodeos, no te sientes lo suficientemente cómoda contigo misma o con la comunicación dentro de la relación para decir lo que piensas. Cuando expones tu caso en dos frases, y después *dejas de hablar de él*, demuestras confianza. "Oh, oh.

Si lo vuelvo a intentar, me va a cambiar por otro". Ver que no puede jugar contigo lo hace considerar el compromiso más seriamente.

> **PRINCIPIO DE RELACIÓN 47**
> Para un hombre es totalmente inadecuado
> que seas emotiva cuando hablas de algo importante.
> Cuando hablas de forma tranquila él considera
> que el tema es mucho más importante.

Lo primero que él va a escuchar es *tu tono de voz*, y sólo entonces le va a dar importancia o credibilidad al contenido de lo que estás diciendo. Si tu voz está sobrecargada de emoción, supondrá que ni siquiera tú sabes qué es lo que está mal. "Está sensible, así que no le voy a poner atención". Presionará el botón *Silencio* y no te va a prestar oído. "La tengo bajo control. Puedo hacer lo que quiera y ella seguirá ahí". Por lo tanto, si quieres que te escuche, debes ser directa.

Lo primero que aprende un peleador nato es que debe escoger sus batallas sabiamente. Un peleador campeón no se va a quedar ahí balanceándose y solucionando un asunto a puñetazos contra un enclenque de 45 kilos. Un buen peleador sabe que si pelea todas las batallas, aunque sean las importantes, empezará a perder por la fatiga de la lucha. Así que una forma de evitar una pelea es llamarle la atención en una frase o menos.

En un tono directo dile:

"Esto me parece innecesario, ¿no estás de acuerdo?"

O puedes pedírselo en forma de pregunta. Ladea la cabeza y pregúntale de forma casual:

"¿Esto te parece normal?"

Si te pregunta de qué estás hablando, sencillamente exprésalo de otro modo:

"Sólo me preguntaba si es algo que sueles hacer."

Después quédate callada. Si te da una respuesta que no te parece adecuada, dile:

"Ya veo".

Después asiente con la cabeza, dale un trago a tu coctel y cambia el tema.

Date cuenta de que *no te estás* dejando provocar, pero al mismo tiempo le estás indicando que su conducta es inaceptable. Cuando tomas el camino diplomático, rápidamente los otros te parecerán incorrectos. Si no le das una reacción negativa, no le estás dando nada para mitigar su culpa. No te puede "tachar de loca". No puede decir: "Está como loca. Mírenla. Me está atacando sin ninguna razón". Eso le da una salida para que nunca tenga que examinar su propia conducta. *O corregirla.*

Esto me recuerda el lema de la película *El escándalo*, en la que John Travolta hace una versión satírica del ex presidente Clinton. Cuando le preguntan por qué no quiere hacer comerciales atacando a su oponente con una campaña negativa, él dice en broma: "No quiero darle a ese hijo de… el poder para convertirme *a mí* en un hijo de…"

Cuando sientes que te está provocando, recuerda este dicho: "Nunca luches contra un cerdo. Si lo haces, los dos acabarán muy sucios. Pero la diferencia es que *al cerdo le va a encantar*".

Botón femenino 3:
Puede decirte algo subido de tono para ver cómo respondes

Una parte de la prueba sería descubrir cuáles son tus botones especiales. (Los egos preguntones quieren saber.) Así que podría poner sus botas sobre tu mesa de café. Puede usar tu bonita toalla de baño con el moño rosa de Ralph Lauren para trapear alrededor del escusado después de que lo "roció". Cuando se sienta más cómodo, podría emitir una columna mortal de gases letales después de comer frijoles. O podría decir algo un poco escandaloso o subido de tono, como pedirte que vayas a visitarlo vestida sólo con un abrigo y unos zapatos de tacón alto, para ver cómo reaccionas. Todo es "sobre diseño" para ver cómo respondes.

Un hombre llegó a admitir: "Algunas veces digo cosas para molestar a mi novia porque se ve muy sexy cuando se enoja".

Para demostrarte lo común que es en "la escuela de pensamiento" masculino provocar deliberadamente a alguien (aun si te cae bien), seleccioné una cita, que es un ejemplo clásico, de un libro de Donald Trump[1], *Trump: How to Get Rich* (Trump: Cómo hacerse rico). No sólo admite que intenta irritar a la gente, les aconseja a sus lectores hacer lo mismo. ¿Para qué? "Para ver su reacción". Esto es lo que dice:

> *Si haces un comentario que parezca espontáneo, podrías obtener una respuesta reveladora. Yo podría hacer un comentario escandaloso en una junta sólo para ver si las otras personas me siguen la corriente o si se atreven a no estar de acuerdo conmigo. Es una buena forma de valorar la entereza de la gente que está al otro lado de la mesa. ¿Quieren agradar? ¿Se sienten cómodos con lo impredecible? ¿Son capaces de ser francos?*

Los hombres hacen esto todo el tiempo para ver si te despojan del velo de "buena", para ver cómo peleas.

Es parecido a lo que hace un animal carnívoro cuando siente curiosidad. Se le llama "rumiar". Un oso se mete a un coche y después mordisquea suavemente un objeto pequeño para ver lo que es. ¿Es un animal? ¿Todavía esta vivo? ¿Es comestible? ¿Qué textura tiene? La mordida no es mortal. El oso sólo lo sacude un poco y le da una pequeña mordida.

¿Dónde aprenden esto los hombres? Vamos a explorar los orígenes de esta conducta aprendida "entrando en contacto con su niño interior de primero de secundaria".

Mientras un niño está creciendo, lo más probable es que haya jugado un juego llamado "Aguántate". Básicamente: un grupo de niños que se reúnen y empiezan a insultarse. Intercambian ataques verbales muy precisos:

Niño 1: "Tu mamá tiene un trasero tan grande, que cubre dos códigos postales completos".
Niño 2: "No te pareces en nada a tu papi".
Niño 3: "Tu tía tiene la cara tan plana como un perro pequinés".

Si uno de los niños pierde la calma o muestra señales de que va a llorar, a quejarse, o de que no puede soportar la presión, *se le expulsa del juego*. Por lo tanto aprenden que: la vulnerabilidad es como el infierno. A este juego también se le llama "El exprimidor de limones", porque el niño podría querer llorar pero no debe. Su expresión facial parecerá como que acabara de morder un limón porque está haciendo muecas e intentando retener las lágrimas. El ganador es el niño que se mantenga calmado y tenga las réplicas más convincentes. Así es como los hombres aprenden a intercambiar ataques verbales.

Los hombres suelen jugar a insultarse de la misma manera. Lo ven como una forma de fortalecer su parte emotiva y como una muestra de afecto entre varones. Si un hombre derramó una lágrima en 1986 porque su equipo perdió la final, nunca lo olvidarían en la partida semanal de póquer.

"Oye, Bobby. Te compré una caja de pañuelos desechables con tu nombre. Está en el tocador. Tómala."

"Bobby, ya que estás de pie, tráeme una cerveza de la cocina. Que no se te olvide mi servilletita. A Bobby le gusta ser la fulana en la relación."

"Bobby tiene un lindo trasero. ¿No le quedaría bien un brasier de los que dan volumen?"

De aquí es de donde saca las bromas cuando se enzarza en una pelea contigo. Es hasta entrañable. Es su forma de decirte que te ve como su igual. Cree que es una forma juguetona de "boxear de forma romántica contigo". Un hombre me explicó: "Quieres una mujer que sepa bromear y que sea tu cómplice en el crimen. Ningún hombre quiere a una chica-sí". Él quiere ver si eres capaz de defenderte *sin derrumbarte*. Si eres capaz de contestarle, te verá como una compañera confiable. "Ella es una persona equilibrada".

PRINCIPIO DE RELACIÓN 48

Muchos hombres reducen a las mujeres a un conjunto de suposiciones. El hombre se basa en el hecho de que la mayoría de las mujeres son emotivas y de que él va a ser capaz de presionar tus botones emocionales en cuanto sepa cuáles son. Cuando no puede, por lo general se desmorona y se convierte en el más vulnerable de la relación.

Los hombres suponen que las mujeres en definitiva no pueden ser analíticas y que estamos "técnicamente discapacitadas" para la ciencia. Recuerdo haber escuchado por casualidad a unos cuantos hombres viendo un programa de noticias en el que se presentaba una astronauta de una misión espacial de la NASA. Uno de los hombres estaba tan asustado, que el otro empezó a consolarlo: "Mira, alguien tiene que cocinar y lavar la ropa en el espacio".

Los hombres también se burlan y dicen cosas en broma sobre las mujeres que están en la policía y en el ejército. ¿Por qué? Porque las mujeres son demasiado emotivas y criaturas así no deben estar armadas. Cuando el pelotón sale en una operación estilo comando, los hombres temen que a la niñita de la unidad le dé miedo, llore, sienta pánico y vacíe su arma automática en la dirección equivocada —y accidentalmente acribille a la mitad del pelotón. Si pudieran atrasar los relojes, lo harían. Todas las mujeres tendrían que entregar los rifles y obtener un certificado que les permitiera portar peladores de vegetales. Durante la ceremonia de reconocimiento, oirías tocar las trompetas, y a los soldados se les rendiría homenaje con la insignia del Corazón Púrpura. Después las "damitas" recibirían pequeñas ollas color púrpura. "Por este medio las honramos por preparar tan rápidamente un tentempié ante la llegada de los morteros."

Así que los hombres suelen estar un poco predispuestos. Y cuando lo sorprendes con un enfoque razonado, él pensará: "Ella tiene fuego. Vale la pena". Muchas mujeres no se dan cuenta de que con frecuencia la forma de ganar su confianza y su respeto es demostrarle que tienes un cerebro y una mente propios.

PRINCIPIO DE RELACIÓN 49
Él te está probando para ver si crees en ti. Quiere saber quién tiene el control. Cuando no te desconciertas fácilmente él ve que: "Ella no se deja manipular".

Una amiga llamada Renée tiene una gran réplica que siempre usa con su novio. A veces, él la llama de mal humor. Para evitar una riña, ella termina la conversación de una forma adorable. Suele decirle: "¿Ya comiste? Parece que tienes hambre. Ve a comer algo y no me vuelvas a llamar hasta que tengas la barriga llena". Es parecido a cuando un hombre dice: "¿Tienes síndrome premenstrual?" Sólo que aquella es una frase cariñosa y no insultante. Y la mejor parte es que se puede usar como defensa a su mal humor durante el desayuno, la comida, la cena y todas las horas intermedias.

Un hombre llamado Harold me contó lo que le parece irresistible de su independiente prometida. "Cuando acoso verbalmente a mi prometida, ella me pone en mi lugar". Estaban hablando sobre el matrimonio y él le dijo: "¿Para qué comprar la vaca si puedes obtener la leche gratis?" En lugar de ponerse a la defensiva, Robin, su prometida, se rio y le contestó: "Sé lo que quieres decir. ¿Para qué comprar el cerdo si lo único que quieres es una salchichita?"

Antes de subirse a un puente de cuerda para cruzar de la cima de una montaña a otra, lo va a sacudir para ver si es seguro o si se va a caer. Los hombres están alertas para ver cómo peleas. "¿Es una guerrera? ¿O es sólo ruido?" Antes de convertirse en tu caballero de brillante armadura quiere saber si: "¿Valdrá la pena defenderla?"

Botón femenino 4:
Tal vez intente exceder los límites para ver hasta dónde se puede salir con la suya

Una mujer de treinta y cinco años, felizmente casada, me contó una historia sobre su marido. Cuando estaban recién casados, su marido dejaba las toallas empapadas por todas partes. Sobre la cama, en el piso, sobre las puertas —en cualquier lugar que se te ocurra había toallas. Al ver que pedirle que recogiera las toallas no le funcionaba, empezó a tirarlas por una ventana del segundo piso al "árbol de las toallas". Antes de darse un regaderazo, él tenía que salir a recoger una del árbol. El verano se convirtió en invierno y las toallas empezaron a perder su "olor efervescente". Y fue entonces cuando decidió cumplir con las resoluciones sobre el hogar de la Organización de las Naciones Unidas. (Si no está en la cesta, no se lava.)

Lo que algunos hombres hacen es fingir que son incapaces de hacer algo, para que siempre lo hagas tú. Un buen ejemplo es mi amiga Julie. Su esposo vistió a su hija con una blusa verde, pantaloncillos amarillos y calcetines rojos. Julie quería decirle: "¿Eres daltónico? ¡Parece un payaso!" Pero en vez de eso le dijo: "Cariño, gracias por vestir a la niña mientras me daba un regaderazo. Qué atento". Y después hizo un poco de control del daño y le cambió los calcetines a la nena mientras Papi encendía el coche.

Los hombres lo hacen todo el tiempo. Aparentan incompetencia. Deliberadamente, lavan los trastes, la ropa y planchan de una manera horrible –para evitar que se los vuelvas a pedir. Si los criticas sobre cualquier tarea doméstica, temas paternos, o faenas que pertenecen al estereotipo femenino, te dirá: "Está bien. Como yo no sé hacerlo, hazlo tú". Este es precisamente el escenario que quieres evitar porque desde ese momento en adelante, tú tendrás que hacerlo.

> **PRINCIPIO DE RELACIÓN 50**
> Para alentar la conducta correcta, plantea lo que quieres y después dale la solución. Muéstrale que puede ser tu héroe.

Paulette hizo algo con su marido, que nos viene como anillo al dedo. Su esposo y ella trabajan tiempo completo. Llegaron al acuerdo de que el primero que llega a casa es el que empieza a cocinar la cena. Paulette me contó: "Cuando llego a casa y veo que él no ha llegado, sigo conduciendo y me voy el tiempo necesario para que a él le dé tiempo de tener la comida lista. Compro el postre, y después lo adulo por lo bien que cocina. Ahora él cocina siempre".

Si quieres que él haga la compra, apela a su ego. Dile: "No sé lo que te gusta. Y tú lo haces mucho mejor que yo. Deberías de ir tú. Toma mi lista…"

Cuando regrese, dile: "Definitivamente tú eres el experto. Nadie lo hace mejor".

La incapacidad estratégica puede ser muy útil. Los animales salvajes utilizan tácticas de distracción similares. Cuando una mamá pata tiene una nidada de patitos y hay un depredador cerca, la pata crea una distracción fingiendo estar herida y moviéndose por todos lados. Distrae la atención del depredador de los patitos. Y en cuanto lo aleja lo suficiente de sus bebés, regresa volando hacia donde ellos están.

Los botones de *su* control remoto

Otra regla de oro para comunicarte con los hombres: Nunca debes decir: "Cariño, tenemos que hablar". Correrá hacia las montañas como si hubiera una alerta de huracán.

Advertencia: *Se avecina una oleada de sentimientos.*
Pronóstico: *No muy bueno.*
Predicción para esta noche: *Pantuflas de franela, turbulencia y dolores de cabeza inesperados en la recámara.*

Los psicólogos populares te dicen que si no quieres que alguien se sienta atacado cuando mencionas un conflicto, debes empezar cada frase con: "Me siento…" en lugar de "Tú…" Con las especies masculinas, es más rápido presionar los botones correctos si dejas los sentimientos a un lado y le dices lo que *piensas*. Si vas a Roma… habla como Romeo. Romeo empezaría sus frases con:

"Yo creo…"
"Yo estimo…"
"Supongo que…"
"La forma en la que analizo la situación es…"
"Hablando de forma objetiva…"

Obtendrás su atención de inmediato si usas palabras que no sean emotivas (para las que no está preparado en lo más mínimo). Las siguientes son siete palabras que les encanta usar a los hombres, las pueden intercambiar. Incluyo una guía de referencia rápida sobre las definiciones masculinas de estas palabras.

Curso intensivo sobre lenguaje masculino

LÓGICO

Se usa cuando te describe de forma entrañable a sus amigos, después de unas cuantas cervezas: "Es incontrolable. Por suerte para ella, yo soy lógico".

SENSIBLE

Sensible es otra de sus favoritas. Los hombres creen que las mujeres no son sensibles porque compran un montón de zapatos y bolsas caras para impresionar a otras mujeres. Los hombres, por otra parte, son sensibles. Por ejemplo, él cree que es "sensible" comprar una motocicleta remachada de cuatrocientos mil pesos, para poder disfrutar los beneficios de una hemorragia interna (y una pérdida de cabello irreversible) mientras pasea con estilo. Es aún mejor cuando está vestido con miles de pesos en ropa de cuero, marca Harley, para verse elegante usando el collarín en la ambulancia.

PRÁCTICO

Los hombres creen que los artículos para el hogar, como almohadas o toallas decorativas, son ridículos y poco prácticos. Las cortinas son poco prácticas. Práctico es aquello que él insiste *en ser* cuando cuelga un sarape mexicano de Tijuana en lugar de una cortina y lo llama "iluminación ambiental". Después de todo, lo que más se te debe de antojar es "hacerlo" sobre una manta rasposa cubierta de pelo de perro.

ESTRATÉGICO

Los hombres adoran la palabra *estratégico*. "Como los dos trabajamos, creo que contratar una chica que nos ayude con las labores domésticas sería una buena estrategia". La palabra *estratégico* le hace sentir que es un importante hombre de negocios, como si fuera el presidente del hogar. Y no sólo esto, también le despierta memorias tiernas y tranquilizadoras de cuando era niño y jugaba con sus soldaditos.

ANALÍTICO

Una habilidad concedida sólo a las especies masculinas, para "analizar" por qué las mujeres son tan emotivas.

RACIONAL

Su opinión.

IRRACIONAL

Tu opinión.

Nuestra clase sobre lenguaje masculino queda pospuesta, pero antes de irte, recuerda tu tarea. En vez de: "Tenemos que hablar sobre mis sentimientos", dile: "Vamos a analizar la situación de forma *racional y lógica*". Ahora tú tienes el control remoto y eres la que presiona los botones.

Lo primero que sucederá es que él volteará a verte. Después quedará confundido. Podría mirar hacia abajo para ver si todavía eres genéticamente hembra. Entonces se encenderán las luces. No sólo quedará impresionado, también le parecerá que sabes de lo que estás hablando. ¿Y su cara? No tendrá precio.

NOTAS

[1] Donald Trump: Conocido empresario, ejecutivo y autor millonario estadounidense. (N. de la T.).

capítulo 5

Se busca: Juan Sueldo

Por qué la independencia financiera te hace deseable como esposa

Me gustan los cumplidos.
Pero prefiero el efectivo.

ANÓNIMO

El capitán de mi mina de oro

Hay ciertas cosas que un hombre que está saliendo contigo no te va a decir. En primer lugar, un hombre no te va a decir que le da miedo que se lo bailen en un divorcio. O que lo horroriza la posibilidad de acabar atrapado en un matrimonio con una mujer que lo haga sentir como un cajero automático. O ser valorado sólo por lo que pueda proveer. Para un hombre, ese es el peor tipo de engaño.

Cuando mi editora Amanda Murray me preguntó cuál debería de ser el subtítulo de este libro, le pedí ayuda a un par de hombres. Uno de ellos me contestó en tono de broma: "Debería llamarse *Por qué los hombres se casan con las cabronas: guía para que una mujer logre un retiro anticipado*". Por gracioso que sea, nos habla de lo que los hombres temen más:

una mujer que quiera casarse por su "agudeza comercial". *No por amor verdadero.*

> **PRINCIPIO DE RELACIÓN 51**
> Cuando está saliendo contigo, estará en guardia
> constante y buscando percibir: "¿Le gusto por
> quien soy? ¿O por lo que puedo darle?"

Cuando un hombre sale a cenar con una mujer independiente y un poco cabrona, no está pensando: "Sin mí, no podría comer". Si se la lleva de fin de semana y está hablando del negocio de bienes raíces de 15 millones de pesos que cerró, la respuesta de ella sería: "¡Qué bueno! ¡Felicidades!" Pero no se vería demasiado impresionada ni ansiosa de obtener una parte. Si la recoge en un Aston Martin de 350 000 dólares, entrará en el coche y dirá: "Gracias por venir por mí. Qué considerado de tu parte haberte desviado tanto". Esto le demuestra que *lo aprecia a él y no al coche.* Este es el tipo de mujer que hace que el hombre salga del modo "mí, me y conmigo" y que empiece a pensar en el modo "nosotros". ¿Por qué? Porque está muy *poco impresionada* por las cosas superficiales que sorprenden a la mayoría de las mujeres. Esto la hace diferente.

Lo que gana su corazón es tu independencia. Se casa con la mujer que le hace saber esto: prefiere que la recojan en un Dodge viejo con abolladuras en los lados y sin tapones, a que la traten con poco respeto. Él debe saber que si tiene una mala actitud o no es un caballero, llamarás un taxi o te irás a casa en autobús. Cuando sabe que no te puede "comprar" es cuando piensa en el matrimonio.

En lo que se refiere al matrimonio, los hombres tienden a apartarse de las mujeres que conocen todos los lugares de moda caros. O de una mujer que suelta nombres conocidos y está demasiado familiarizada con los atavíos del éxito. Cuando ella dice: "¡Qué bonito Rolex!" lo que él ve es una posible extorsión en su horizonte.

¿Alguna vez has visto esos anuncios clasificados en los que alguna mujer busca un "hombre generoso" que "se haga cargo de ella"? Lo que él hombre lee es: "Me vendo a mí misma como si fuera un Buick usado con la transmisión defectuosa". No importa qué más diga el clasificado. Ella puede hablar de paseos por la playa hasta que se canse. Él sólo ve la agenda financiera. Esto es lo que él interpretará leyendo entre líneas:

SE BUSCA: JUAN SUELDO

¿Tienes una casa con la que me pueda quedar? ¿Te sientes feliz de ser el tonto que trabaja y da todo su dinero? Si es así, yo tengo un premio para ti en el que figuran tres bebés generadores de intereses para poder expandir mi cartera para el retiro. Si me llamas ahora, te prometo contarle a todas mis amigas que estás tan bien dotado como una llama de 150 kilos aunque tengas el tamaño de un interruptor de luz. Además, hasta puedo convertirme para que mis suegros estén felices. Soy una oportunista a tu altura. Así que apúrate, te estaré esperando con todos mis bombones.*

*y conejitos de chocolate para el Purim[1]

Un hombre de calidad no te va a decir: "Caramba, ¿dónde firmo?" Recuerda que "cabrona" deriva de las letras de la palabra en inglés (BITCH) que da la siguiente frase: Babe In Total Control of Herself (Belleza en control absoluto de sí misma) y no: Because I Took Charlie's House (Porque me quedé con la casa de Charlie).

PRINCIPIO DE RELACIÓN 52
Cuando un hombre ve que estás enfocada
en tus propios sueños o en mejorar, se siente más
seguro de casarse contigo porque no le preocupa
lo que podrías estar tratando de *quitarle*.

Los hombres, ahora más que nunca, se están acostumbrando a la idea de que una mujer capaz de contribuir económicamente, puede ser un activo importante. Él se casa con una mujer que tenga apoyos financieros. A los hombres les preocupa llegar a fin de mes, y lo que harías tú si les queda poco dinero.

Los hombres tienen un miedo secreto de no estar a la altura y mostrar su lado débil. Les da miedo que después de cortejarte se conviertan en algo menor a la fantasía del Príncipe Encantador del que te enamoraste, y tú te levantes y te vayas. Ten por seguro que los hombres sueñan con encontrar esa chica especial con la que podrán pasar el resto de su vida. Pero en sus sueños, su compañera es alguien con quien *pueden contar*. Por eso los hombres encuentran atractiva a la cabrona. Ella es más real, no cae en su juego. Es más fácil que ella salte cuando él se quita el velo.

Los hombres no hablan de su necesidad de "seguridad" porque eso no se considera varonil. Es un tabú. Pero también quieren sentirse seguros. Esto es lo que pasa por su mente cuando piensa en casarse contigo:

*"¿Si yo tuviera problemas financieros ella se iría con
la próxima fuente de dinero disponible?
¿Si hubiera una emergencia ella sería
capaz de defender el fuerte?**
*¿Me dejaría por un hombre que tuviera
un Mercedes nuevo y una casa más grande?"*

* Esta es importante.

Los hombres suelen abordar el amor como si fuera una negociación comercial. Una de las cosas más comunes que oí durante mis entrevistas con los hombres fue la pregunta: "¿Qué trae a la mesa aparte del sexo?" Aquí es donde vuelve a entrar el coeficiente de la cabrona. Los hombres suelen etiquetar a una mujer más débil como un pasivo y a una mujer más fuerte como un activo. Es igual que en la escuela de negocios cuando hay una adquisición y calculan el "valor agregado". Su observación espontánea sería algo así:

Pasivo:	Activo:
Una mujer que está buscando desesperadamente a un hombre que la rescate de su propia vida. Su única meta es: "Necesito un novio". "Será como adoptar una niña que tendré que cuidar. Ella necesita a alguien que le pague las cuentas."	Una mujer fuerte, con metas, que no va a traicionarse. Entonces él siente: "En verdad me ama por quien soy. No está conmigo porque necesite comer o necesite un papá".

Como dijo Will Smith: "Lo más atractivo es la competencia". Los hombres me decían lo mismo con regularidad. Quieren una mujer que pueda encargarse del negocio. Eso a los hombres les excita mental y sexualmente. Les da algo que se supone que no necesitan: un sentimiento de protección y seguridad.

Cuando conoce a una mujer que se puede comprar su propia taza de café, ella exuda una actitud hazlo-tú-misma que se gana su respeto de inmediato. Los hombres se sienten atraídos por las mujeres que se ven a sí mismas como ganadoras.

Peter recordó las primeras impresiones sobre su esposa, Kim. "Ella era una mujer de origen chino que llegó desde otro país y ni siquiera hablaba el idioma. Puso su propio negocio y tuvo éxito. Y eso es realmente increíble, considerando el hecho de que ella no hablaba inglés cuando llegó." Le pregunté si la educación tradicional de Kim la había hecho sumisa en la relación. "Claro que no. No me aguanta ninguna tontería. Ni por un segundo." Date cuenta de lo que él respeta: la fuerza de carácter de Kim. Ella sólo aceptaría una limosna si viene de su *otra* mano.

Ahora compara esto con una mujer que no está construyendo nada más que un guardarropa, y llega a la relación sintiendo que tiene derechos. Es bonita, pero empieza a hablar sobre su energía de "diosa" o sus cualidades de "diva". O empezará a usar la palabra *reina*: "Soy una reina. Cualquier hombre que sea mío tiene que *adorar* el suelo por el que camino. Y también tiene que adorar a mi perrita Princesa." Y después ordena el platillo más caro del menú porque "ella lo vale", y posa en un taburete del bar como si fuera la Reina Isabel y alguien estuviera pintando su retrato. Todo eso regresa a corroerla en el discurso de salida de él: "Salir conmigo no es justo para ti. Como eres una diosa, te mereces mucho más. Yo no puedo tratarte como tú mereces y no me gustaría verte sufrir. Creo que debemos terminar nuestra relación".

Un amigo mío llamado Bobby me dijo: "Algunas veces sientes ganas de preguntarle a una chica, 'Oye, ¿podrías traer tus estados de cuenta de las tarjetas de crédito a nuestra próxima cita? Quiero saber a qué *estilo de vida estás acostumbrada* antes de que las cosas lleguen más lejos. ¿Eres despilfarradora? ¿Gastas tres veces más de lo que ganas?'"

PRINCIPIO DE RELACIÓN 53
Los hombres no juzgan cuánto dinero tienes.
Se fijan en cómo presupuestas el que tienes.

Ya desde la primera cita, él se está imaginando cómo sería su vida si entrara en tu mundo. Así que empezará a recoger datos y a registrar todo en su banco de memoria como si fuera una cámara de video con dos patas. Esto es lo que grabará:

"Evaluación de riesgos" del matrimonio

Cosas que los hombres observan:

- Si llevas una bolsa de diseñador, de treinta mil pesos (con cincuenta centavos dentro de ella).

- Si tienes un coche nuevo que está todo maltratado y parece un gabinete con ruedas.

- Si tu departamento está limpio y es acogedor o está descuidado (supondrá que eso es lo que encontrará en casa todos los días).

- Si tienes una gran pila de facturas en el tablero.

- Si le faltan perillas a la televisión o al estéreo (supondrá que rompes las cosas).

- Si tus mascotas están bien cuidadas.

- Si tienes una rotación de compañeros de departamento que no se quedan mucho tiempo (esto significa que es difícil vivir contigo).

- Si te cortan la luz o el teléfono (él deduce que adoptaría una niñita que necesita ser cuidada constantemente).

- Si pagas la cuenta del celular con una tarjeta sobregirada y los cobradores están tocando a tu puerta (estropearás su crédito).

- Si tienes un clóset atiborrado de zapatos y ropa, y toneladas de cosméticos desparramados por todo el baño (tu aspecto es todo lo que tienes para ofrecer).

- Si no regresas las películas de video a tiempo, o si tus cheques rebotan.

- Si tienes un bar bien surtido pero no tienes comida en el refrigerador (podrías ser demasiado fiestera y tal vez no sea muy adecuado vivir contigo).

- Si pides dinero prestado o usas la palabra *ayuda* y tienes que depender de tus amigos o familiares para llegar a fin de mes.

- Si ya estuviste casada y te convertiste en una bandida en el divorcio (se preocupará de que también lo limpiarás a él).

POR QUÉ ESTAS SEÑALES PUEDEN CONSTRUIR O DESTRUIR TU POTENCIAL PARA EL MATRIMONIO

Estas son pistas que le dicen si pueden construir una vida juntos. Él está buscando señales de descuido porque quiere ver cómo tratas las cosas por las que trabajará arduamente. No te lo va a comentar, no te lo va a hacer notar ni va a romper por ello. Pero registrará todo en la memoria y *sopesará la información* cuando decida sobre el matrimonio.

La mayoría de las mujeres piensan que deben preocuparse de las finanzas del hombre porque él es el supuesto proveedor. Pero hoy más que nunca, los hombres también están viendo tus finanzas. Sí, hasta los ricos.

Los estándares de "yo me hago cargo de todo" han cambiado por lo mucho que ha subido el costo de la vida. Durante las décadas de 1950 o 1960, un Cadillac costaba 55 mil pesos, y una casa costaba 550 mil. Los tiempos son diferentes. Ahora el mismo Cadillac cuesta 550 mil pesos y una casa en un área metropolitana puede llegar fácilmente a los 5 millones de pesos, o más.

Un hombre realmente exitoso llamado Kenny me explicó: "A las mujeres se les enseña que sólo deben lucir bonitas, y un hombre se hará cargo de ellas. Conozco mujeres que ganaban muy poco, y vivían en departamentos de una sola recámara. Pero cada vez que requerían pagar una factura, lo hacían a tiempo. No se metían en situaciones difíciles. También he conocido mujeres que tenían mucho dinero, pero gastaban en tonterías como cremas faciales con proteína de feto, de dos mil pesos, o en un vestido de cinco mil pesos. Dos semanas más tarde, una de ellas lloraba porque le cortaron la luz. O se quedaba sin gasolina en su BMW, y tenía que caminar hasta la gasolinera vestida de Chanel. Después actuaba como si el mundo estuviera contra ella. Ese es el tipo de mujer que te manda a la tumba prematuramente".

> **PRINCIPIO DE RELACIÓN 54**
> Los hombres admiran a las mujeres que quieren mejorar y subir por sus propios medios, y temen a las que son trepadoras sociales a expensas de un hombre.

Muchas veces esta es la razón por la que él podría cancelar la boda. Lee y Tracy son un ejemplo perfecto de lo anterior. Ella era una estilista que vivía con una compañera de departamento, y Lee era un empresario exitoso. Ella soñaba con tener un salón propio, y Lee la admiraba por ello. Después de nueve meses se comprometieron y él le dio un precioso anillo con un diamante amarillo. También le dijo que él pagaría la boda. Ella escogió el hotel Ritz-Carlton, un vestido de Vera Wang de cien mil pesos y puso la mesa de regalos en Tiffany's. A todos los invitados se les regalaría una noche en el hotel Ritz y un facial o un masaje de espalda gratis (a cuenta de él). Lo único que él objetó fue la mesa de regalos en Tiffany's porque le preocupaba que sus parientes de la clase trabajadora no podrían pagar los precios de los regalos que ella había escogido.

Lee recordó: "No podía entender por qué alguien pondría una ponchera de cristal de Tiffany de nueve mil pesos en una lista de regalos. Empecé a sentirme intranquilo y a cuestionarme la situación en la que estaba a punto de entrar. Cuando renunció a su trabajo, me di cuenta de que estaba cometiendo un gran error y rompí el compromiso. No sentía que la boda fuera solamente por 'puro amor' y que fuéramos a estar juntos en las buenas y en las malas. Se convirtió en montar un espectáculo para todos sus amigos. Ella no quería construir una vida juntos. Quería que yo pagara su cuento de hadas".

Como, por lo general, los hombres no comparten la fantasía de la boda de Cenicienta, trata de ser cuidadosa en cuanto a cómo ve el hombre esa ilusión tuya. Los hombres notan cuando una mujer que no tiene nada propio de repente desarrolla un gusto muy caro.

Si no eres autosuficiente (o estás trabajando para serlo), todo lo que digas sobre el compromiso o el matrimonio levantará sospechas.

Ella pregunta: "¿Qué vamos a hacer en vacaciones?"	Él oye: "¡Ya quiero conocer a mis nuevos suegros!"
Ella pregunta: "¿Tienes casa propia?"	Él oye: "Quiero avisar treinta días antes y mudarme contigo".
Ella pregunta: "¿Me prestas tu coche?"	Él oye: "¿Puedo conducir mi nuevo coche?"
Ella pregunta: "¿Piensas, alguna vez, en casarte?"	Él oye: "Ya quiero renunciar a mi trabajo".
Ella pregunta: "¿Cuáles son tus intenciones?"	Él oye: "¿Dónde está mi anillo?"
Ella dice: "Me niego a perder el tiempo".	Él oye: "Ya compré el vestido. Se está acabando el tiempo. ¡Vamos a poner la fecha!"

Esto es lo que frustra a los hombres, porque casi nunca oyen a una mujer decir: "No puedo esperar para iniciar un negocio". O: "Ya quiero tomar esa clase de bienes raíces". La meta de la mayoría de las mujeres es: "Quiero estar casada antes de un año". Así que va al gimnasio, compra cosméticos, se ve fabulosa y no entiende por qué no avanza la relación.

¿Recuerdas la escena clásica de la película *Mi primo Vinnie*? El personaje de Marisa Tomei le pregunta a Vinnie cuándo se van a casar: "Mi reloj hace tic-tac así… [pum, pum, pum]". En la película fue fabuloso, pero en la vida real eso es lo último que él quiere: una mujer pataleando y enojada porque no puede creer que le estafen el matrimonio que se le *debe*. Los hombres se sienten tan frustrados por esto, que hasta tienen una jerga entre ellos para describirlo.

"En una misión." Definido como cualquier mujer que quiere enamorarse de una boda preciosa, y no le importa tanto estar enamorada del novio.	"Ocupando una vacante." Lo que siente cuando se entera de que el interés de ella en el matrimonio no tiene nada que ver con él.

Por eso, si no actúas como si el matrimonio fuera el santo grial, instantáneamente te conviertes en "la que es diferente al resto".

El tema del reloj biológico no sólo tiene que ver con bebés. A las mujeres se les socializa para creer que, sexualmente, tienen una fecha de caducidad. Y las mujeres se lo creen. Al cumplir cierta edad, ya no se ven a sí mismas como un premio. Cuando hablé con los hombres sobre la presión que sienten las mujeres por estar casadas a cierta edad, me sorprendió escuchar a la mayoría de ellos decir que eso era un mito. Si la mujer se cuida, puede ser sexy a los treinta, cuarenta, cincuenta y más. El matrimonio no tiene una "fecha de caducidad". Según los hombres, lo que hace menos deseable a una mujer es la falta de seguridad que rodea a su sexualidad, no la falta de esta. O, cuando la mujer cree que *lo único que tiene para ofrecer es el sexo*. Si la mujer tiene veinte años, es atractiva y tiene toda la vida por delante, pero cree que su única moneda de negociación es: "Tengo una buena delantera" o "mira lo bien que se ve mi trasero con estos *jeans*", rápidamente se vuelve aburrida. Si eso es todo lo que ella tiene para ofrecer, si no es competente, *picante* e independiente, no es tan deseable.

Cada vez que conocía a un hombre felizmente casado, le preguntaba qué era lo que hacía su vida diferente. Michael compartió conmigo la siguiente historia: "Cuando conocí a mi esposa, ella tenía un puesto de prestigio en una agencia de publicidad. Después lo perdió. Trabajó como mesera hasta que encontró otra ocupación. Nunca tomó una actitud de: 'Ay, pobre de mí'. Fue realista. Tenía que pagar las facturas, y cogió al toro por los cuernos. Se ganó mi respeto al capear el temporal. Entonces supe que podría construir una vida junto a ella". Lo conquistó la forma en que ella manejó la adversidad. Lo conquistó su carácter. Aunque los tiempos fueran duros, ella quería mantenerse firme.

Esto también afecta la manera en la que un marido trata a su esposa después de casados. Eva está felizmente casada y hasta hace poco su marido era el que traía el pan a casa. Cuando quería comprar algo de la Cadena de Televisión de Compras para el Hogar se lo pedía a él. Algunas veces él le contestaba: "Espérate una semana", lo que se oye como si le dijeras a un niño: "Espera hasta que tengas tu domingo ahorrado y después te lo compro". Así que un día, sin pedir "permiso previo", tomó la iniciativa y consiguió un buen trabajo de medio tiempo. Ahora, en lugar de: "¿Puedo comprar esto?", le dice: "Cariño, mira lo que compré". Y sucedió algo gracioso. Eva notó que la pasión de su marido se multiplicó.

Los hombres se sienten mucho más conectados emocionalmente a una mujer que pueda ser un poco autoritaria de vez en cuando. La mujer que puede levantarse e irse en cualquier momento es la que lo mantiene bajo control. Cuando un hombre conoce a una mujer competente que no lo necesita, instantáneamente la trata de *diferente* forma que a la mujer que parece no saber lo que quiere de la vida. Aquella es la mujer con la que se casa.

> **PRINCIPIO DE RELACIÓN 55**
> Él no quiere casarse con una niñita indefensa
> a la que tendrá que cuidar.

La mujer frágil o indefensa que no sabe tomar decisiones rápidamente, lo apagará hasta en la cama.

Aunque cada regla tiene una excepción. Muy de vez en cuando, encontrarás un hombre que quiere una esposa indefensa o una "niñita" que se quede en la cocina a hornear galletas. Por eso algunos hombres buscan una novia por catálogo. Desde luego, su drástica decisión de casarse con una extranjera suele venir pisándole los talones a una experiencia espeluznante (como salir con una mujer intelectual que usaba demasiadas palabras largas y difíciles). Así que él renuncia a las mujeres intelectuales y corre hasta una tierra lejana para conocer a la novia de sus sueños. (Tan pronto como él pueda ponerse un implante de cabello.) Y todo es dicha, tal como lo prometieron en el...

Catálogo de novias por correo

Su cándida novia incluye
los siguientes momentos tiernos…

No habla una sola palabra de inglés. Por lo tanto, nunca expresará su opinión ni lo va a contradecir. Simplemente lo mirará con mala cara y lanzará improperios en su lengua nativa cuando no le permita ir al baile de graduación.

Si usted tiene una videograbadora podrá eliminar todos esos horribles documentales sobre el "Movimiento por los Derechos de la Mujer" y mostrarle a ella las mejores cosas de la vida: el pan molido listo para usarse.

Los votos no tendrán una connotación religiosa. "¿Prometes obedecer… y obedecer… y obedecer, hasta que Inmigración nos separe?"

Nosotros le regalaremos, en el banquete, un pastel de ron para todos los adultos. También paletas heladas para la novia y sus compañeras de clase.

Hasta incluiremos un regalo sentimental, gratuito, de nuestra mesa de regalos de boda. Puede escoger entre un arnés, un columpio o un remo para su luna de miel en un parque con lago artificial.

Lo que es verdad es que nunca has oído sobre un divorcio difícil con una novia por catálogo. Ella se queda hasta que recibe sus papeles como inmigrante. Después, se va al mercado a comprar un litro de leche y nunca la vuelves a ver ni a saber nada de ella. ¡Puf! Desaparece como un soplón de la mafia que entra al programa de protección de testigos.

Obviamente, los hombres que buscan novias por catálogo se aprovechan de la situación económica de dichas mujeres. Pero esta es la excepción, no la regla. Los hombres no quieren una esposa conformista. Si las cosas le están yendo bien, quiere una esposa que lo respalde. Cuando ve que una mujer es capaz de tomar decisiones acertadas sobre su propia vida, de inmediato se sentirá más cercano a ella. "¡Qué bien, pensamos igual!". Esa es la mujer a la que él llevará a escoger su primera casa, alfombra y muebles nuevos. Ella se convierte en un activo. Al hombre le gusta una mujer que sabe lo que quiere, que piensa, especialmente si él confía en ella. Porque así se quita mucha de la presión al no tener que tomar todas las decisiones.

> **PRINCIPIO DE RELACIÓN 56**
> Para un hombre, las palabras *respeto* y *confianza* son intercambiables. Si no te respeta, no va a confiar en ti. Y sin confianza, siempre te va a mantener a cierta distancia.

Aprecio:
la incursión a su corazón

Más que la comida, más que el sexo, hacer que un hombre se sienta apreciado cuando están saliendo en serio, muchas veces hará que él decida si se casa o no. Y esa es otra de las cosas que nunca lees en una revista para mujeres. El aprecio es el camino hacia el corazón de un hombre. Irá hasta el fin de la tierra sólo para que una mujer lo haga sentirse reverenciado y adorado. Mary Kay Ash me dijo: "Hay dos cosas que la gente desea más que el sexo y el dinero… reconocimiento y elogio".

Algunas veces un hombre hará algo por ti, como traerte un regalo, comprarte flores, ir a hacer diligencias contigo, ponerle gasolina a tu coche. Cuando hace esas pequeñas cosas y tú no le dices: "Gracias, fue muy considerado de tu parte", empezará a hacer menos cosas. Con el tiempo, cualquier cosa que te dé será mecánica –te la ofrecerá sin sentirlo realmente. Sus sentimientos se irán marchitando hasta que se desconecte por completo.

Por eso los hombres se quedan en el trabajo hasta las nueve de la noche y evitan llegar a casa con sus esposas. Por eso dejan de esforzarse. Nada lo desmotiva más rápido que sentir que no lo aprecias.

> **PRINCIPIO DE RELACIÓN 57**
> Cuando te dé algo, siempre reconoce la
> amabilidad tras ese gesto, y no el objeto material.
> Así como las mujeres nunca pueden recibir los
> suficientes cumplidos, los hombres nunca pueden
> recibir el suficiente aprecio por sus contribuciones.

Danny me contó una historia sobre una mujer con la que llevaba varios meses compartiendo cena y vino. Un fin de semana, lo invitó a cenar carne para corresponderle. Cuando él llegó a su casa y abrió el refrigerador, se dio cuenta de que adentro había dos objetos: mostaza y pan rancio. Debra le dijo: "Tenía la intención de ir a la tienda. ¿Podríamos ir al supermercado?" Él la acompañó, y tomó un carrito para las compras. Ella tomó otro carrito y le anunció: "Vamos a necesitar dos". Y procedió a llenar los dos carritos a su máxima capacidad. Pesaban tanto que ella apenas pudo llevar el suyo a la caja. ¿La factura? Cerca de dos mil pesos.

Danny me dijo: "Pagué todo y ella nunca me dio las gracias ni me lo reconoció. Encima, ni siquiera me cocinó una cena decente. Abrió un paquete familiar y me guisó una pieza de pollo de ciento veinte gramos. [Y Danny es un hombre grande.] Los filetes de medio kilo que yo escogí desaparecieron misteriosamente". Cuando le pregunté si volvió a salir con ella, me dijo:

se busca: juan sueldo

"Antes saldría con un atracador encapuchado que me asaltara a mano armada".

Cuando entrevisté a los hombres, esta era una de las razones principales por las que tenían reservas sobre el matrimonio. Si quieres que un hombre *deje* de ser generoso, todo lo que debes hacer es crear la impresión de que lo que él te acaba de dar se consumió, vaporizó y se absorbió sin el mínimo aprecio. Es la forma más rápida de quitarle lo divertido al cortejo. Como lo puso un hombre: "Tus días estarán contados".

> ### PRINCIPIO DE RELACIÓN 58
> La palabra favorita de un hombre es *apreciar*.
> Más que nada quiere sentirse reverenciado y
> valorado por una mujer.
> Cuado ella lo aprecia, lo motiva a ofrecerle el mundo.

Portarte como si apreciaras sus logros, lo que hizo por ti, lo que te dio y demás, es la mejor manera de valorarlo. Esto explica por qué a los hombres se les olvida un cumpleaños, un aniversario, y el Día de las Madres… pero no se pierden la ceremonia de premiación del "entrenador del año" para obtener esa pequeña copa barata.

No te va a poner su corazón en una charola, comprarte un anillo, pagar una boda y regalarte un caballo, si engulles una cena como si fuera lo más normal. Por lo tanto, si quieres que él te baje el sol, la luna y las estrellas (y el diamante en forma de pera), asegúrate de decir las palabras mágicas.

Reconoce lo que hizo y arma un alboroto por ello

"Te agradezco que hayas arreglado *[cualquier cosa que haya arreglado]*. Eres tan amable."

"Me la pasé muy bien la otra noche en *[cualquier lugar al que te haya llevado]*. Gracias otra vez."

"Realmente me encanta *[un regalo que te dio, aunque no te haya gustado nada]*. Gracias otra vez."

Y añade:
"Gracias, fue muy generoso de tu parte."
O, "Qué amable de tu parte."

No hay palabras más dulces para los oídos de un hombre.

Ahora veamos la situación en el polo opuesto: el hombre que se niega a dar. Así como debes reconocer la amabilidad y la generosidad, no seas demasiado tolerante con un hombre tacaño. Cuidado con el hombre que sufre de una enfermedad llamada "tacañitis". Porque esta revela su falta de interés por cualquier cosa a largo plazo.

Por ejemplo, Samantha salió con un tipo que tenía una buena posición económica. Lo vamos a llamar "Rechinido" (algunos hombres son tan "apretados" que rechinan cuando caminan). Antes de cenar, llevó a Samantha a un cajero automático de camino al restaurante y la hizo esperarlo en el coche mientras fue a sacar doscientos pesos. Cuando regresó al coche, puso el billete sobre el tablero como para que ella supiera: "Esto es lo único que voy a gastar". Después la llevó a un lugar corriente ("Parrillada-Bar Bistecs Baratos") y sugirió que compartieran un entremés grasoso. Los doscientos pesos apenas alcanzaron para pagar la cuenta; se le notaba que esto lo puso nervioso y le dolió pagar. Prácticamente necesitó aceite 3-en-1 para poder abrir la billetera.

Este es el tipo de cita que quieres que sea corta. Sólo haz las cuentas. Doscientos pesos deberían de durarle apenas para cuarenta y cinco minutos. Eso equivale a cinco pesos por cada dos minutos, con cinco minutos de cortesía por el discurso "sólo amigos". ("Sólo amigos" es la codificación de "sin sexo".) Si se lo toma a pecho, añade dos minutos de tiempo-de-compasión, y después sal pitando.

PRINCIPIO DE RELACIÓN 59

Un hombre no pensará en lo que gasta en ti si él cree que puedes ser "la correcta". Al principio, él estará contento de pagar la cuenta.

Una azafata que conocí me contó que fue con un hombre al cine. En la primera cita se vieron ahí. Al llegar a la ventanilla, sacó un cupón de dos por uno, así que ella entró gratis. No fueron a cenar porque él "no tenía hambre". Ella estaba famélica y al pasar por la dulcería dijo que quería un *hot-dog*. Él le dijo: "Primero vamos a buscar lugar dentro de la sala y después venimos por la comida". Se sentaron y él no se levantó. Así que ella se levantó y le dijo: "Voy por un *hot-dog*. ¿Quieres algo?" Él le contestó: "Sí. Una Coca grande. Espera…" Cuando abrió la billetera, ella pensó que iba a sacar un billete de 200 pesos, pero él sacó un cupón que decía UNA COCA DE UN LITRO GRATIS y se lo dio.

No es que esto sea malo. Es maravilloso tener amigos platónicos con los que puedas ir al cine, sobre todo si son homosexuales. (Así, por lo menos, puedes recibir unos buenos consejos sobre moda y maquillaje.)

Un hombre llamado Joe invitó a una amiga mía llamada Chloe a ver un partido de beisbol en la primera cita. Después del juego, cuando estaban en su coche él le pidió que le pagara el boleto. Ella le dijo que no tenía dinero y él le contestó que podía hacerle un cheque. "Tu boleto costó 260 pesos. Dame 300 y con eso ya incluyes la gasolina. Yo invito los *hot-dogs* y los nachos". Ella le dijo: "Mira, tú me invitaste y por eso no traje dinero". Él le contestó: "Hey, no hay problema. Págame la semana que viene".

se busca: juan sueldo

La siguiente semana, Joe la llamó y le dejó su dirección en la contestadora. Ella le regresó la llamada y le dijo: "Te mando un cheque. Pero te voy a deducir 20 pesos por esta llamada, 15 del envío y 2 pesos del sobre. Como eres un tacaño, no te voy a cobrar la tinta. Pero sólo si prometes no volver a llamarme nunca".

> **PRINCIPIO DE RELACIÓN 60**
> Un hombre que tiene cierta tranquilidad financiera pero sigue siendo un tacaño, no querrá dar nada. No querrá que le trastornes su tiempo ni tener que compartir el vestidor -mucho menos un hogar o una vida juntos.

Después de todo, la vida en común tiene que ver con compartir una vida juntos. Un hombre que cree haber conocido a su alma gemela no estará tan obsesionado con lo que gasta, siempre y cuando no sienta que te estás aprovechando de él. Si le gustas, lo único que le importará será ganarse tu afecto. Como me explicó un varón: "Un hombre se siente bien al ser generoso, y al poder salir con una mujer cuando la ama".

Los cupones, reembolsos, compartir platos, o una renuencia severa a pagar la cuenta; todas estas cosas no deben pasar inadvertidas, porque te está demostrando que no toma la relación en serio. Como me comentó un chico: "Un hombre no puede estar enamorado de ti y ser tacaño al mismo tiempo". ¿Y si sólo es un tipo miserable? Tampoco querrías estar con él. Imagina cómo sonarían esos votos matrimoniales (un momento de bajo nivel para recordar). "Prometo amarte y respetarte… en la salud y la enfermedad… hasta que la muerte nos separe… ¡a menos que tenga que gastar doscientos pesos y, entonces, me largo!"

Jugando a la casita

Vanessa conoció a Jean Marc y tuvieron un noviazgo breve e intenso. A los tres meses, él le declaró su amor, le compró un anillo y decidieron irse a vivir juntos. Ella vendió su condominio, renunció al trabajo y se mudó con él a una hora de camino de donde vivía. Muy pronto, empezó a notar un cambio. Mientras que antes él era respetuoso, poco a poco empezó a sentirse superior a ella. Nueve meses después, ella se mudó de ahí. Pregunta de trivia: ¿qué está mal en esta imagen? Todo.

Primero el tema del tiempo. No debes mudarte con un hombre después de unos cuantos meses, ni tampoco reubicarte en su territorio. Eso es demasiado pronto. Además, cuando te mudas a su casa, lo más seguro es que su "guarida de soltero" no sea propicia para dos. Debido a esto, es altamente improbable que alguna vez sientas que también es *tu* casa. Se sentirá como una fiesta de piyamas que salió terriblemente mal. Si tratas de arreglar su casa para hacerla más adecuada, él empezará a sentir que está cediendo demasiado de *su* espacio. Y tendrás que deshacerte de muchas de las cosas que te hacen sentir cómoda en tu propia casa. Por donde lo veas no es una buena situación.

PRINCIPIO DE RELACIÓN 61

Cuando te mudas a casa de otra persona, no sólo cedes tu espacio personal y tus pertenencias. Además de eso, casi siempre pierdes tu sentimiento de independencia.

Cuando traes dos gatitos juntos a tu casa, se llevan bien. Pero si llevas un gato al territorio de otro, el dueño del territorio dominará al nuevo gatito desde ese momento. Es por esto que las mujeres se sienten desequilibradas cuando se mudan al dominio de un hombre. Es algo territorial.

Por lo tanto, o dejas que él se mude a tu casa (si tienes espacio suficiente) o, aún mejor, busquen una casa nueva para los dos. Ese es el mejor escenario porque así podrán negociar todo lo que necesitan. Un clóset para ti… un baño para ti… y cualquier otra cosa que se te antoje. Y, además, recomiendo ampliamente una cama *king size*. No para ti. Para él. Es lo más considerado y amoroso que puedes hacer. Evitará que lo estrangules accidentalmente durante el sueño porque acapara la cama y apenas te deja espacio para que cuelgues de la esquina inferior izquierda del colchón tamaño *queen*. Confía en mí: *king size*.

Vamos a suponer que él tiene una casa enorme, con una cama *king size* estilo californiano, y tú te mudas. Y vamos a decir que él es un multimillonario con una cantidad estúpida de dinero, y tú acabas por renunciar a tu trabajo. Hasta cierto punto todavía corres el riesgo de tener una discusión, sólo porque él voltee a verte y te diga: "¿Dónde crees que estarías si no me tuvieras? Mira a tu alrededor. Yo te doy todo esto". Eso es precisamente lo que quieres evitar. Por ello lo mejor que puedes hacer es mudarte a una casa que *escojan juntos*. Y después, mantener tu independencia. Mantén tu trabajo. Mantén a tus amigos. Y definitivamente mantén tu propia cuenta de banco y tus tarjetas de crédito. Esto te dará la influencia para que te trate como quieres ser tratada: con igualdad y justicia para todos.

Además, una rápida nota final:

> **PRINCIPIO DE RELACIÓN 62**
> Si el matrimonio es extremadamente importante para ti y estás lista para fijar la fecha de la boda, no te mudes a menos que tengas un anillo y una fecha.

Si él ya está "jugando a la casita", no tendrá ninguna razón para acelerar el proceso o dar el siguiente paso.

Bodas forzadas

Este capítulo no estaría completo sin una discusión final sobre la relación entre embarazo y matrimonio. Sucede todo el tiempo y a nadie le gusta hablar sobre ello. Sí, vamos a "tocar el tema".

Malena salió por seis meses con un oncólogo. Durante ese tiempo, él fue muy bueno con ella, pero le dejó muy claro que no quería tener hijos pronto. Pasaron seis meses y él no le había pedido matrimonio. Malena estaba cada vez más desesperada y se embarazó "accidentalmente". Más tarde, admitió que dejó de tomar la pastilla anticonceptiva porque la hacía sentir mareada (pero no lo mencionó hasta que ya era demasiado tarde). Él intentó todo para convencerla de que interrumpiera el embarazo. Al final, ella tuvo a su hija y él resultó ser un gran padre. Sólo hubo un fallo: él no quiso tener nada más que ver con ella. Y Malena se quedó atónita. Pensó que él le contrataría a un chofer que la llevaría de compras todo el día (y una limusina sólo para el bebé).

Tener un bebé es una de las responsabilidades más grandes de la vida, y no debes, intencionadamente, tener un bebé con alguien que *explícitamente te dice* que no quiere ser padre. Sencillamente no puedes tener una relación basada en la consideración mutua y al mismo tiempo nulificar el derecho de un hombre a tomar una decisión tan importante. La razón por la que esto fracasa habla sobre la "actitud de tener derecho" de la cual los hombres me decían que acaba con el compromiso —ya sea a una cena agradable, a vivir juntos o a casarse y tener hijos. Después de que Malena dejó caer la bomba, se convirtió, para él, en la persona menos atractiva del mundo.

El papá del bebé me explicó por qué esto arruinó la oportunidad que ella tenía de casarse: "Tener sexo es maravilloso, ¿verdad? ¿Pero qué pasa si un hombre te obliga contra tu voluntad? Ya no sería tan maravilloso. Eso es lo que siente un hombre sobre un embarazo no deseado que él sospecha que es a propósito. Si ella obliga al hombre a aceptarlo, él puede amar al niño. Pero lo único que sentirá por la mujer cada vez que la vea será resentimiento. En ese punto ella se vuelve una amenaza. Lo que le dice es que hay algo muy peligroso en ella y que es capaz de cualquier cosa. Es el tipo de mujer que se acostaría con tu mejor amigo sin pensarlo. Una vez que una mujer cruza cierto límite, las probabilidades de casarse con ella, o hasta de seguir viéndola, son casi nulas".

En última instancia, los hombres respetan a la cabrona. ¿Por qué? Porque ella no es cabrona a causa de haber tenido un mal día. Es una cabrona porque es una mujer de principios que vive de acuerdo con sus valores. Parte de la ecuación es que te valgas por ti misma. La otra parte es que te defiendas.

También he escuchado a muchos hombres contar historias sobre el compromiso. Y, algunas veces, durante una discusión violenta, unos de ellos pueden pedir que les regreses el anillo. En uno de los casos, la prometida dijo que no y alegó que había perdido el anillo (coincidentemente ese día). Al día siguiente, una amiga mutua le confió a él que su prometida lo había empeñado. Después de eso, la relación fue intermitente.

Ella todavía quería casarse y durante seis meses siguieron teniendo "la última relación sexual antes de romper". Pero él se negaba a comprometerse porque no podía olvidar que se sentía engañado por lo del anillo. Así piensan la mayoría de los hombres: si eres honrada y le dices: "Toma, quiero regresarte este anillo", él te dirá: "No, quédatelo tú". Su orgullo no lo dejaría aceptarlo. Pero si crees que tienes el derecho o haces que sienta que te estás aprovechando de él, querrá el anillo de vuelta.

Si el hombre tiene cimientos y no es profundo como un charco, tendrá un par de principios. Lo que gana su respeto es la *decencia*. Cada vez que hablaba con los hombres sobre lo que buscan en una esposa, nunca me dijeron: "Tiene que cocinar bien", o, "tiene que usar lencería marca Victoria´s Secret todas las noches". Lo que oí una vez tras otra fue: "Quiero alguien en quien pueda confiar y con quien pueda contar".

> **PRINCIPIO DE RELACIÓN 63**
> Lo que más excita a un hombre es saber que está enamorado de una mujer con la que realmente puede contar; que de veras lo va a apoyar.

NOTAS

[1] Purim: Festividad judía que se celebra en el mes de marzo, en la que los asisten a la sinagoga dan caridad a los pobres, mandan regalos a sus amigos y tienen un banquete. (N. de la T.)

capítulo 6

Invadiendo el club de los chicos

Secretos robados:
todas las cosas altamente clasificadas
que los hombres sólo comparten con
otros hombres

Un buen matrimonio depende de la habilidad
del esposo para dar un paso atrás, y ver
en qué se equivocó su esposa.

ARCHIE BUNKER

Secretos altamente clasificados
de mis operaciones encubiertas

Prepárate. En este capítulo echaremos un vistazo poco frecuente al interior del cerebro de algunos de los hombres a los que entrevisté. Como verás, mis técnicas de recolección de pruebas confundirían hasta a Harry "El Sucio"[1]. La mayor parte de mi entrenamiento científico lo adquirí en un entorno muy controlado. Empezó con un refresco de dieta, un tazón grande de palomitas y varios capítulos consecutivos de *Wildlife Journal* (*Diario animal*) en el canal Animal Planet (Planeta animal).

En este capítulo, vas a oír el parloteo de las especies masculinas desde la profundidad de las trincheras de la jungla de las citas. Para grabar el habla de los primates, hice lo que haría cualquier zoólogo: me acerqué a las criaturas de una forma en la que no se sintieran amenazadas. También aprendí a no acercarme cuando se estaban alimentando, por miedo a que gruñeran y se retiraran hacia su hábitat a pasar el invierno.

También estoy contenta de reportar que mis interrogatorios no exigieron ningún método de tortura, como el uso de luces brillantes, privación del sueño, estimulación por electricidad o repeticiones de *Los pioneros*. Ni hubo que forzarlos a ver *Ghost, la sombra del amor*, repitiendo las escenas de Demi Moore lloriqueando sobre la vasija de barro. No tuve que usar ningún tipo de método de coacción. Y jamás tuve que recurrir a la amenaza más horrorosa de todas: la remoción de una de las pilas del control remoto.

Nosotras, aquí, en las oficinas del Grupo Cabronas, no creemos en la experimentación con animales. Por lo tanto, no se dañó físicamente a ningún hombre. (No puedo hacer comentarios sobre su estado mental actual.)

Ahora presento a mi primer sujeto. Su nombre es Timmy. Tiene nueve años de edad.

Sherry: ¿Qué edad tienes, Timmy?
Timmy: Tengo nueve años.
Sherry: ¿Te puedo entrevistar? Estoy escribiendo un libro.
Timmy: Yo también voy a escribir un libro.

Sherry: ¿Cuál es el título?

Timmy: "Por qué las niñas son tontas".

Sherry: Me dicen que tienes una novia. ¿Es verdad?

Timmy: Sí, su nombre es Sandy. Y sé que le gusto mucho.

Sherry: ¿Cómo lo sabes?

Timmy: Porque es muy buena con todos los niños… pero *muy mala conmigo*.

Timmy es el más joven de mis entrevistados. Mientras más crecen los hombres, más en guardia se ponen sobre lo que están dispuestos a revelarle a sus compañeras. Sienten que si revelan sus intenciones todo el tiempo, pierden el control sobre sus emociones. Después de todo, hay ciertos temas sensibles que no son exactamente buenos para una conversación durante la cena.

La mayoría de los hombres fueron muy abiertos, pero otros se sintieron menos cómodos de revelar sus secretos. Descubrí que los hombres que eran "material para compromiso" estaban mucho más dispuestos a hablar sobre el tipo de trucos que sus amigos usan con las mujeres. Me di cuenta de que se parece un poco a infringir la ley. (Cuando estás haciendo algo ilegal, no quieres que todo mundo se entere.) Eso confirmó lo que yo ya sabía: los hombres tienen un código secreto respecto del compromiso, matrimonio y el funcionamiento interno de las relaciones.

En este capítulo puse extractos de algunas de las confesiones más sinceras, palabra por palabra. Esto es lo que revelaron mis "operaciones encubiertas". Son hombres de todas las profesiones, nacionalidades y edades. Algunos casados, otros solteros. Y con la excepción de Timmy, de nueve años de edad, oculté sus nombres e identidades (para proteger a los no-tan-inocentes).

Pregunta 1:
¿Los hombres engañan deliberadamente a las mujeres diciéndoles que quieren un compromiso y matrimonio para obtener ciertos "beneficios" sexuales?

1. "Absolutamente. UN MIL POR CIENTO."

2. "Todos los hombres saben que su novia responderá mejor sexualmente y tendrá más comprensión sentimental si se le hace creer que la relación tiene 'potencial a largo plazo'. Todo lo que tienes que hacer es usar las palabras correctas para impresionarla, como *nosotros* o *nuestro* o *futuro* o *algún día probablemente*. Los hombres las usan como un hábito para aprovecharse. 'Te apuesto que puedo hacer que haga X, si le digo que estoy pensando en casarme con ella. *Algún día*.' "

3. "Si estás saliendo con una mujer, por lo general ella te va a decir lo que quiere oír. Ella proyecta lo que

quiere que él le diga, y él lo dice. Ella hace la cama y él se acuesta en ella. Es hasta un año después cuando ella comenzará a sentirse frustrada porque no ve progresos. Él no se muda contigo, no te da una llave de su departamento y sigues sin anillo. Entonces es cuando ella se da cuenta de que la relación ya *llegó al límite*."

4. "Las mujeres creen que saben disimular, pero si ella intenta arrastrarme a una boda un sábado sí y uno no, no está siendo muy sutil. Si empieza a poner fotos de los dos juntos por todos lados, también está siendo obvia. Deja que él sea el que cuelgue la foto, de otra forma sentirá que lo haces para marcar el territorio."

5. "Los hombres son astutos. Si tienen una casa grande en un buen vecindario, por lo general la usarán como un gancho. Puede pedirte que le ayudes a escoger la pintura para la 'habitación del bebé'. Para cuando tengan un niño *algún día*. Y si el azul violeta no funciona, puede ser un cuarto de juegos estupendo. O te pedirá que lo ayudes a escoger muebles. Si le dices a una mujer que acabas de comprar una casa y que necesitas ayuda para decorarla, prácticamente se esposará a ti. Y al poste de tu cama."

6. "Los hombres tienen relaciones con mujeres lejos de donde viven. Y las mujeres siempre piensan que van a llegar a algo más. No lo harán. El tipo se baja del

avión, tiene sexo todo el fin de semana y regresa a casa. Tú puedes justificar las idas y venidas porque vives en una ciudad diferente. Es una excusa justificada. Los hombres lo llaman *consuelo sexual de larga distancia.*"

7. "Los hombres son escurridizos. Tenemos un amigo que le dijo a su novia: 'La única forma en la que yo me casaría sería si una mujer me despertara todos los días con sexo oral.' La pobre chica se agotó cada mañana durante tres años, y él nunca le pidió matrimonio."

8. "Lo que hará el hombre será decirle a la mujer que es inteligente, graciosa, sofisticada y que él está interesado en su mente y su alma (mientras le baja la tanga). Básicamente la meta es que ella sienta que no la consideras un objeto sexual. Y, así, ella piensa: '¡Por fin, un hombre que me ve como algo más que un objeto!' y se mete a la cama contigo. Los hombres hacen esto todo el tiempo. La meta es que ella no sepa lo que de verdad quieres."

9. "Los hombres actúan como el amante perfecto. Dices algo como: 'Nunca he engañado a nadie. Ya no soy un niño. Ya acabaron mis días de correrías con los muchachos y estoy buscando algo *real*. Ya senté cabeza y estoy buscando a la mujer ideal. Contigo me siento diferente. Siento que puedo contarte cosas que nunca le he contado a nadie'. Cuando un hombre

trata de ligarte de forma tan agresiva, ten cuidado. Por lo general lo opuesto es la verdad. Y si tiene el sentido correcto, lo más probable es que ya lo haya dicho muchas veces antes."

10. "Algunos hombres te llamarán mucho, o parecerán muy interesados en una conversación aburrida. Yo me he quedado dormido durante algunas llamadas telefónicas, he despertado, y dicho: '¿De verdad? ¿Y después qué pasó?' Y si un hombre no te está escuchando, te está enviando una señal de que no le interesas realmente. Sólo está esperando el momento de meterse dentro de tus pantalones."

Deducimos un par de cosas. Primero, el hombre equivocado sabe muy bien lo que tú quieres (matrimonio, compromiso o cosas materiales), y lo usará para manipularte. Pon mucha atención al chico que dijo: "Es como darle a un hombre un manual para manipularte. Todo lo que tiene que hacer es decirte lo que quieres oír y te tomará un par de años desenmascararlo".

Un hombre casado llamado Gene me explicó: "Cuando una mujer dice: 'Si quieres salir conmigo, tienes que pedirme matrimonio al cabo de un año', todo termina casi tan bien como si alguien dijera: 'Sólo quería salir esta noche porque no tenía ganas de quedarme en casa'. En otras palabras, lo único que descartó fue una repetición de *Seinfeld*. Instantáneamente, tú desistirás cuando *no seas la razón* por la que estás aquí".

> **PRINCIPIO DE RELACIÓN 64**
> Establece tus propios plazos y límites,
> y vete cuando sea momento de hacerlo.
> Hasta entonces, no le digas cuáles son tus
> plazos ni tus motivos de ruptura.
> Y después mantén los ojos abiertos y fíjate en
> cómo maneja su 50 por ciento de la relación.
> Así obtendrás más pronto lo que buscas.

Pregunta 2:
¿Cómo describirías los rasgos de una mujer segura (alias cabrona) comparados con los de una mujer insegura?

1. "Lo peor que una mujer puede hacer es ver a un hombre todas las noches de la semana. Así es como se convierte en su chica para pasar un buen rato, en la 'lista de reserva'. Lo que sucede es que el tipo empieza a llegar a las nueve y a irse a las diez y media. Si tiene acceso a lo que quiere de ella cada vez que lo desea, no tendrá que levantar un dedo para mantenerlo."

2. "Los hombres son competitivos. Cuando alguno compra un coche que es un modelo de edición limitada, siente que tiene algo especial. Los hombres que

compiten en carreras callejeras suelen hacerlo por la factura porque quieren ganar, conquistar y llevarse el otro vehículo. Esto se puede transferir a las mujeres. Una mujer fácil no le saca su vena competitiva. Cuando deja de expresar su opinión y empieza a estar de acuerdo con todo lo que él dice, por lo general es cuando el hombre empieza a aburrirse."

3. "Una mujer nunca debe ir a buscarlo o perseguirlo a los tres lugares donde dijo que podría estar tomando algo. Si él dice, 'Podría estar en el restaurante Beer Factory o en algún bar de la Calle Veintiséis', no intentes localizarlo. Si quieres ser su 'relación formal' deja que él te localice a ti."

4. "Mi prometida fue la primera mujer que me puso en mi lugar. Ella constantemente me recuerda: 'Oye, nadie te está obligando a quedarte'. Si trato de salirme de alguna situación con estupideces, ella dice: 'Ahórrate tu tiempo y tu energía. No me vengas con esa basura, porque no te creo'. Sé que si me pescara engañándola me pegaría en la cabeza con una sartén. Y la respeto mucho más que a cualquier otra mujer que haya conocido."

5. "Si puede resumirte en una frase, se va a aburrir."

6. "Confianza es cuando no tratas de interpretar o procesar demasiado todo lo que estás observando, en voz

alta. Hacerlo evita que la relación siga su curso normal. Por ejemplo, cada vez que le llevaba flores a cierta mujer, ella me recordaba que su ex había dejado de llevarle flores. Lo que realmente quería preguntar era si yo lo iba a seguir haciendo. Me hacía sentir como que no disfrutaba las flores ni apreciaba el momento presente conmigo."

7. "La mujer no debe decir: 'No me llamas lo suficiente', o: 'Nunca me dices que me quieres'. Como mujer, tu mejor recurso es ser impredecible. Él no debe poder descifrarte. Cuando siempre puede predecir tu siguiente movimiento, ya lo perdiste como compañero a largo plazo. *Buscará a alguien más, a quien no pueda entender o controlar.*"

8. "Si ella es enfática sobre alguna cosa, tiene temple. Ella es la mujer que él respeta. No un 'pan Melba' que se desmorona con la mínima presión."

9. "Tiene que parecer que no te estás entregando completa. 'Aquí estoy. Tómame.' Los hombres quieren que los mantengas imaginando. Piénsalo. Cuando un hombre escoge una película, quiere que esta lo emocione desde el principio. Si no hay alguien que pierda un miembro o reciba un disparo y los edificios no explotan en los primeros veinte minutos, pensará que le estafaron su dinero".

10. "Las mujeres no deben siquiera hacer una broma sobre el matrimonio. Estaba en la segunda cita con una chica y los dos somos irlandeses. En mi tierra tenemos un dicho: 'Si me besas tendrás que casarte conmigo'. Si tienes el deseo de casarte, no se lo digas a un hombre directamente. Si lo haces, es como si le dieras un manual y le dijeras exactamente cómo balancear una zanahoria en el aire y seguir jugando con tus debilidades."

Pregunta 3:
¿Cuáles son las señales de que una mujer está perdiendo el tiempo?

1. "Cuando tienes la sensación persistente de que siempre te deja plantada. Si él está cerrando puertas, diciendo cosas como: 'tengo que irme' o 'después te llamo', lo que quiere decir es: 'Te llamo cuando sea tu turno'. Y no le hagas caso a la tontería de: 'Te extrañé tanto' que dice cuando viene a buscar sexo. Si está comprometido con una mujer no desaparece una semana entera."

2. "Si te ve una hora a la semana, es casual. Si no van al cine, salen con sus amigos, cenan juntos, y él te dice: 'No me gusta hablar por teléfono', cuando no te llama, está claro. Con una mujer que le interesa, tendrá contacto constante. Un hombre casi nunca cancela las citas a la mujer de la que está enamorado."

3. "Lo que hacen muchos hombres es decir que tienen mucho trabajo. Pero el trabajo nunca se interpone entre él y la mujer con la que realmente quiere estar en su vida personal. Si un hombre de veras quiere ver a una chica, el tiempo libre aparecerá como por arte de magia."

4. "Si un hombre está ocupado de verdad, será específico respecto de cuándo te volverá a llamar. 'En este momento estoy ocupado, pero te llamo X'. Y ahí especificará la fecha y la hora. Sin embargo, si te dice: 'Yo te llamo', y no dice cuándo, es una señal de falta de respeto. Si salió de la ciudad, aplicará la misma regla. Si no te localiza señalará el día que no podrás localizarlo –no una semana completa."

5. "Cuando empieces a oír que se le acabó la pila al celular, o que no había buena recepción o que se le olvidó el celular en su casa o en la oficina, no está siendo sincero contigo."

6. "Han pasado más de dos años y no te ha dado la llave de su departamento, no conoces a nadie de su familia y no habla sobre vivir juntos ni sobre matrimonio; no está progresando porque él no quiere."

7. "Muchos hombres tienen mujeres en una 'lista de reserva'. Si sabe que siempre vas a estar disponible, pensará: 'Sé que ella quiere estar conmigo, así que

vamos a dejarla en la lista de reserva y veamos quién más está allá afuera'. Por eso nunca debes estar demasiado disponible, o dejar que el tipo se sienta *demasiado cómodo*. Debe preocuparle que no vayas a estar ahí."

8. "Si un hombre te dice: 'Vamos a seguir como estamos' casi te está diciendo que no ve un matrimonio en el horizonte".

9. "Cuando la relación está basada en la comodidad y la familiaridad, no habrá ningún tipo de esfuerzo, desde el principio. Lo puedes saber por las pequeñas cosas que hace o por cómo actúa cuando está con ella. ¿La acompaña hasta su coche? ¿Se desvía? ¿O sólo baja la velocidad y toca el claxon? Y no vayas a su casa tarde en la noche. Es una pérdida de tiempo."

10. "Lo que muchos hombres hacen es el 'paseo por enfrente de la joyería', en la cual hay un anillo prometido pero no comprado. O mirarán una revista para novias y dirán: 'Tú serías una novia mucho más hermosa que ella'. Y luego, necesita conseguir un ascenso o un aumento de sueldo antes de poder llevarlo a cabo."

PRINCIPIO DE RELACIÓN 65

Un hombre que en verdad piensa que puedes ser "la ideal" no hablará mucho sobre matrimonio. Será mucho más reservado, y se irá abriendo poco a poco durante varios meses, porque no querrá ahuyentarte.

Si dice cosas como: "El matrimonio es muy anticuado. Sólo es un pedazo de papel. No es realmente necesario. Tengo amigos que tienen hijos y nunca se casaron. ¿Quién necesita casarse?", mantenlo como un amigo para ir al cine y no te cierres a otras opciones.

Pregunta 4:
¿Qué secretos sobre sexo guardan los hombres?

1. "No creas todo lo que te dicen los hombres, especialmente en la cama. Un tipo que conozco le dijo a una chica mientras tenían sexo: 'Siempre he querido saber qué se sentirá tener sexo en el matrimonio. Ay, nena. Así se siente hacer el amor con mi futura esposa. Tú eres mi sueño. Tú eres mi sombra. Mira lo que me haces'. Fue lo más asqueroso que me ha tocado oír. Ningún hombre le dice a una mujer que la ama y que quiere casarse con ella la primera vez que tienen relaciones sexuales. Si una mujer escucha: 'Creo que te amo', por primera vez durante una sesión de rechinido de colchón, ella debería detenerlo en ese momento. Está en la cama con un estafador."

2. "La razón por la que los hombres ven programas como *Sexo en la ciudad* y *Esposas desesperadas* es para aprender sobre mujeres. A ellos les preocupa: '¿Así es mi novia de verdad?' Los hombres se asustan de que las mujeres estén tan obsesionadas con esos progra-

mas. Queremos creer que ella es demasiado inocente para estar fascinada con algo tan decadente."

3. "Nunca hables de tu pasado, o tu falta de pasado sexual. A un hombre no le gusta pensar en otro hombre sudando encima de ti. Cuando una mujer te está tratando de convencer de que es 'una chica buena', hay un 90 por ciento de posibilidades de que sea lo contrario, así que cualquier cosa que digas te hará parecer culpable. Él pensará que te acostaste con todo el equipo de futbol en la preparatoria y que te retiraron la *camiseta* cuando te graduaste."

4. "Si una mujer te hace un sexo oral magnífico la primera vez que estén juntos, y lo hace casi sin mover una pestaña, él va a pensar: '¿Dónde diablos aprendió a hacerlo?' Si pareces una profesional, podrías ser una prosti…"

5. "Si te acuestas con él de inmediato, probablemente no se quede mucho tiempo. Si tienes un romance de una noche, muy dentro de ti sabes que *estás haciendo algo de lo que no estás muy orgullosa*. Sabes que las cosas no deben de ser así."

6. "Los hombres no le dicen a las mujeres que la mitad de las cosas que ven en la pornografía son un poco locas y exageradas. Si la mujer está gritando:

'Dámelo, papi', en la cama, me preocuparía de inmediato sobre un pasado conflictivo."

7. "Muchas mujeres creen que las conversaciones de alcoba son confesiones envueltas en autocompasión. Después del sexo, no quieres oír lo que no le gusta a una mujer de ella misma o tener que ser el que le haga sentir confianza. Una vez una chica me dijo: 'Me gustaría que mis piernas fueran más largas de la rodilla al tobillo. Y odio mi cadera porque es muy ancha'. Esto le dice al hombre que la mujer tiene una autoestima muy baja y es fácil aprovecharse de ella."

8. "Algunas veces un hombre llamará muy tarde intentando tener sexo con la mujer. Y se puede enojar si no escucha: 'Claro, ven'. Pero al día siguiente se sentirá más interesado en ella porque no es una tonta. Ella lo mantiene sincero y no consiente todos sus antojos."

9. "Cuando un hombre está en la cama con una mujer, si realmente está excitado y no quiere llegar al clímax, empezará a pensar en cosas como deportes, estar en un vestidor con un montón de hombres sudorosos después de un partido de futbol, trabajar en el jardín o en el fregadero que gotea en el piso de abajo… cualquier cosa que aleje su mente del momento. No quiere ganarse el título de 'el hombre de los cinco minutos.' "

10. "No entiendo el atractivo de los disfraces de niñita. Si la mujer se recoge el pelo en trencitas a los treinta y cinco, tiene un perrito llamado Binky vestido con un suéter rosa, y porta un saco y collar con joyas de fantasía haciendo juego, no va a hacer que me excite. Si al hombre le gustan las cosas de niñita pervertida, no se le debe dejar solo con niños a menos que alguien lo supervise."

Muchos de los hombres admitieron que aunque la parte de la "gratificación instantánea" en su interior quiere sexo en la primera cita, si de verdad quieren una relación duradera, prefieren esperar. Él en verdad está buscando ese diamante de mujer, alguien de quien en verdad pueda estar orgulloso. Si termina en la cama contigo en la primera cita, no te verá como "la ideal". Además, cuando te dice todas las cosas que él cree que quieres oír, y no pareces impresionada o tienes una actitud indiferente, por lo general empezará a perseguirte en un nivel más honesto.

Pregunta 5:
¿Por qué los hombres prueban a las mujeres?
¿Lo hacen a propósito?

1. "Sí, es consciente. La razón por la que los hombres prueban a las mujeres es porque creemos que si vamos a pasar el resto de nuestra vida con alguien, tenemos que observarla desde todos los puntos.

Quieres saber si está más loca que una cabra, o si es compatible contigo."

2. "La mayoría de los hombres cree que las mujeres son demasiado emotivas. Por eso él te va a poner al día sobre todas sus ex novias. Mientras a algunas sólo las llamará reinas del drama, a otras las etiqueta como psicópatas (también conocidas como esquizofrénicas). Todo hombre habla sobre esa ex, psicópata, y sobre ese incidente en el que ella perdió la cabeza y los hombres de bata blanca tuvieron que venir, tirarle una red encima y dispararle un dardo tranquilizante. Ya sabes, lo mismo que haces con un animal peligroso que se escapó del zoológico."

3. "Lo que el hombre va a hacer es observar a una mujer cuando otra aparece. Si está aunque sea un poco celosa, se le va a notar en la cara. Después, todo lo que él tiene que hacer es decir que la otra mujer está usando un vestido bonito, un peinado lindo o camina de forma agradable. Y sabe que eso es lo único que necesita para hacer explotar a su novia. Ella se enojará tanto, que le saldrá humo. La verdad es que la otra mujer no le importa en lo más mínimo, sólo quiere irritar a su novia. Puede sonar inmaduro, pero queremos saber que aún le importamos."

4. "Vamos a decir: dejaste claro que no te gusta que la gente llegue tarde. Esto se guarda en su banco de memoria. Si quiere probarte, llegará una hora tarde con un buen pretexto. Si gritas, vociferas o maldices, no te verá como material para matrimonio. Una reacción tranquila sería: 'Estaba un poco preocupada por ti, pero me alegra que ya hayas llegado. La próxima vez, llámame'. Eso te dice que ella es elegante y atenta y, lo más importante, que se puede razonar con ella. Y esa es la mujer con la que él considerará casarse."

5. "No le preguntes: '¿Me veo gorda con estos *jeans*?'. Un hombre podría contestarte: 'No demasiado gorda. Sólo deja de comer tanto helado'. Lo que está haciendo es mantenerte insegura para que te esfuerces más en complacerlo. Muchos hombres creen que ofrecerle cumplidos indiferentes a una mujer les facilita manipularla. Si necesitas recibir cumplidos de forma constante, los hombres supondrán que no estás segura de ti misma."

6. "En parte, que un hombre se sienta cómodo con una mujer tiene que ver con cómo lo trata después de que él mete la pata. Es un poco como tratar con tu madre. Todo hombre sabe cuando hace algo malo. Si hago algo fuera de lugar y mi esposa no hace un escándalo, se gana mi respeto. Eso excita mucho a un hombre."

7. "Cuando un hombre está enamorado, no saldrá tanto a beber o a pescar. Pero seguirá queriéndolo hacer de vez en cuando. Si quiere ir a un bar de *striptease*, él entiende que es irrespetuoso. Pero si quiere ir a un partido de futbol, apóyalo. Pregúntale si quiere unos *hot-dogs* para la fiesta antes del partido. De esta forma él pensará que estar casado contigo es muy divertido, y que no va a extrañar las otras cosas que disfruta."

8. "Una mujer no debe volverse loca y tener arranques emocionales todo el tiempo. Poco a poco él le irá perdiendo el respeto, especialmente si lo hace frente a sus hijos. Lo más poco atractivo que una mujer puede hacer es zapatear como un niño pequeño. Nunca querrás que piense que eres así."

9. "Para un hombre es extremadamente importante mantener su amor y deseo por una mujer. Si siempre hay drama, su atracción sexual irá disminuyendo. Cada vez que ella es ecuánime, fuerte y racional, logra que un hombre quiera darle el mundo."

10. "Tienes que querer (o por lo menos hacer como que quieres) escuchar lo que él tiene que decir. Cuando un hombre siente que en verdad lo estás escuchando o entendiendo, se siente esperanzado de que le des un resultado positivo. Debes hacerlo

pensar que no prejuzgas, y que lo vas a escuchar. Aun cuando te esté diciendo un montón de tonterías, puedes escucharlo. Eso te da mayor credibilidad cuando le dices: 'No tienes la más mínima oportunidad de que te crea esa basura. Si esto vuelve a suceder, te sugiero que busques una excusa más creíble que ésa, porque la basura no vuela' ".

Ahora que ya lo escuchaste directamente de la boca del caballo, recuerda no alterarte tanto. Él no lo está haciendo para obtener un estremecimiento perverso, lo hace para que le des atención. Es como un bebé en una silla para comer, que tira su sonaja al piso. ¿Para qué? Para que mami la recoja. Y entonces mami recoge la sonaja y se la vuelve a dar al bebé. ¿Y qué hace el bebé? La vuelve a tirar. ¿Para qué? Para obtener atención.

> **PRINCIPIO DE RELACIÓN 66**
> Mientras más control tengas sobre ti misma,
> más dominio tendrás sobre su corazón.

Una persona que tiene control de sí misma es una persona que puede levantarse e irse en cualquier momento. Los hombres lo saben instintivamente, y por eso el autocontrol eleva el punto de referencia de cómo te trata. Adopta la actitud "Me rehúso a caminar como si fuera un nervio expuesto. Tomé la decisión de ser optimista, positiva y no voy a creer lo que otras personas digan sobre mi". Esto es tener confianza y verdadera autoridad para actuar. Y no sólo te convierte en un imán para los hombres, también te convertirá en un imán para las personas.

Pregunta 6:
¿Cuál es el miedo secreto de los hombres?

1. "Los hombres tienen miedo de quedar atrapados con la mujer incorrecta, en especial con alguien que los haga sentir desdichados. A él le da miedo que se queje como su mamá lo hacía y que empiece a verse como su abuela. No le dan miedo una o dos arrugas. Le asusta que ella se transforme en alguien que no pueda reconocer, con quien no pueda imaginarse ir a la cama."

2. "A los hombres les da miedo tener que competir con tu NOB (Novio que Opera con Baterías). Quiere creer que su *amigo* está trabajando bien, y si usas a NOB enfrente de él y éste hace el trabajo más rápido y mejor, va a perder el deseo porque sabe que no puede competir contra él."

3. "A los hombres les da miedo mostrar debilidad. Si tuve un día muy malo, tal vez no quiera hablar de *sentimientos* con mi pareja. Tal vez hasta evite verla porque no quiero tomarla con ella. Como hombre, quieres ser fuerte para la mujer que te importa."

4. "A él le da miedo que una mujer conduzca su vehículo. Los hombres sienten que la mayoría de las mujeres no aprecian el equipamiento y la destreza. El coche de un hombre es su orgullo y su felicidad. Nunca falla. La mujer abre la puerta del lado de la acera y la estrella en un puesto de periódicos. Pero si él realmente la ama, la va a dejar conducir su auto. Una o dos veces. Es un gesto simbólico. Eso significa que confía en ella y la valora más que a su coche."

5. "A los hombres les da miedo perder prestigio o venirse abajo emocionalmente y no poder recuperarse. Por eso los hombres se reúnen alrededor de una fogata a jugar a ser vaqueros. Después de un par de cervezas con los chicos, los problemas tienden a desaparecer. Por eso los hombres no quieren verse acostados en el sofá de algún siquiatra, y que alguien les pase un pañuelo desechable."

6. "El miedo más grande de un hombre es que su esposa lo engañe. A la mayoría de los hombres los asusta que esto pueda suceder, especialmente cuando ya tienen hijos. Los hombres suelen pensar en estas cosas. Él sabe que si algún día sucediera, se enfrentaría a tener que sopesar el bienestar emocional de sus hijos contra su propio bienestar emocional. Este es el tipo de cosas que arruina vidas."

7. "Me da un miedo espantoso tener hijos tontos. Por eso no me podría casar con una mujer que tuviera una mirada vacía. Ningún hombre quiere tener una mujer con la vista vidriosa o sin vida ni chispa. Ya conoces ese tipo —son las que te hacen pensar si no habría algún tipo de endogamia con sus primos."

8. "Los hombres quieren tener una esposa guapa, pero les da miedo que los midan con la misma vara. Los hombres no podrían manejar estar enamorados de una mujer y que los pusieran bajo el mismo escrutinio. Si la esposa le dice: 'Oye, te está saliendo pancita, y así no me atraes tanto', él sentirá la presión y correría al gimnasio."

9. "A los hombres les da miedo que los tomen por tontos, bobos o que se aprovechen de ellos. Ningún tipo quiere que lo vean como un vale de comida. Si eres un vale de comida, te sientes humillado. El resentimiento empieza a crecer, y empiezas a sentir que no se puede confiar en las mujeres."

10. "Los hombres temen al divorcio, porque el juzgado de divorcio es territorio femenino. Y si tienes hijos, estás fastidiado."

La presión por ser "varonil" influye en la forma en la que él enfoca la relación. Recuerda, los hombres no tienen sentimientos diferentes a los de las mujeres, sólo un estilo diferente. No importa lo poco emotivos que parezcan, los hombres también son vulnerables. Ellos también pueden sentirse exprimidos como una uva. El hombre tiene una profunda necesidad de sentirse valorado, y por lo general no te dirá cuándo se siente vulnerable. Si está molesto te dirá: "No hay problema", aunque podría estar llorando por dentro.

> **PRINCIPIO DE RELACIÓN 67**
> Si el hombre está realmente interesado, se siente vulnerable. Es entonces cuando más necesita un escudo protector y cuando más frecuentemente se portará frío.

Pregunta 7:
¿Cuál es la mejor forma de que una mujer reencienda el interés de un hombre si se está empezando a apagar?

1. "No debe intentarlo."

2. "Si el hombre no está manteniendo la rutina de lo que solía hacer, ella debe dejar de llamarlo. Hazle creer que perdiste el interés, y aléjate. Ella debe dejar de estar disponible y de acostarse con él. Él debe pensar: '¿Qué pasa? Ya tendría que haber llamado.'"

3. "Como dice el antiguo refrán: 'Cuando se seca el arroyo se sabe lo que llevaba'. Córtale el suministro de agua sin darle explicaciones ni razones. Lo mejor que puede hacer una mujer es cortar el contacto sin explicación y dejar que él tenga un buen detalle hacia ella."

4. "Si un tipo llega tambaleándose a las tres de la mañana, tú no estés en casa para recibirlo. Llama a una amiga y quédate en su casa. Será una llamada de atención instantánea."

5. "Un conocido mío solía detenerse a tomar algo todos los días después del trabajo. Después esperaba a que su novia empezara a llamarlo y a rogarle: 'Ven a casa. ¿Cuándo vas a venir a casa?' Un día no lo llamó. Él empezó a llamar a su casa y nadie contestaba. Así que se levantó y corrió a buscarla. De repente, volver a casa se volvió interesante. Pero mientras ella lo estuvo esperando, él se aburría."

6. "Una chica con la que salí solía decirme: 'Te vuelvo a llamar en cinco minutos. Estoy un poco ocupada'. Y no me marcaba. Me di cuenta de que no la estaba apreciando lo suficiente y redoblé mis esfuerzos."

7. "Para reencender su interés, vete de fin de semana con las chicas. Dile que te vas de viaje y no lo llames mientras estés fuera."

8. "Ella puede ponerlo en evidencia. Podría decirle: 'Mira, si te estoy quitando el tiempo, y sientes que estarías mejor en otro sitio, me parece bien. Allá afuera hay alguien para cada persona'. Al reconocerlo y llamarle la atención sobre el tema, le hace saber que sabe lo que está pasando y no acepta las faltas de respeto. Eso lo mantiene alerta."

9. "Búscate un pasatiempo. No lo esperes. Mantente ocupada en algo para que él no esté seguro de cuándo podrá verte."

10. "Nunca quieras ser como un perro que espera tras la puerta. Un animal te espera porque verte lo hace feliz. Si te portas así, te convertirás en algo poco interesante. Pero si exploras cosas nuevas todo el tiempo, y él ve que estás creciendo de forma independiente, te va a respetar. No hay nada más atractivo que una mujer que siente pasión por su propia vida y descubre cosas nuevas. Él se esforzará por ser parte de ello, y por mantenerse igual de interesante."

PRINCIPIO DE RELACIÓN 68
Si llega el aburrimiento, sencillamente rompe la rutina. En cuanto esta cambia, despierta su interés y la relación se volverá atractiva otra vez.

Pregunta 8:
¿Cómo puede saber una mujer si el hombre está realmente enamorado y pensando en la eternidad?

1. "Él está pensando por los dos, no por él solo. Creará cosas para hacer y estará pensando en los dos, más que pensar en uno solo. Empezará a tomar decisiones de vida importantes pensando en ti. En dónde vive, qué casa compra, qué viajes hace. Sus salidas con amigos se volverán algo que hace de vez en cuando para jugar billar con ellos. Tú te convertirás en la mejor amiga con quien querrá pasar su tiempo libre. Si tiene una semana de vacaciones, las planeará contigo y no con su amigo de la universidad a quien hace mucho que no ve."

2. "Su interés será consistente. Si está pensando en el largo plazo, no cortará el contacto. No te dará su tiempo esporádicamente y no se pondrá en contacto contigo de vez en cuando. Si por el contrario todo lo demás viene antes que tú y empiezas a oír: 'La hermana de los suegros del hermano de mi primo segundo necesita que le cuide a los niños, así que no podré verte en todo el fin de semana', no es amor. Cuando en realidad le importas, no tendrás un contacto intermitente, ahora sí-ahora no. Tendrás acceso continuo y conocerás todos los aspectos de su vida."

3. "Estará un poco alerta con ella. Cuando un hombre se interesa por ti, está mucho más atento y quiere complacerte. Hay cierto esfuerzo y nerviosismo en él. Puedes llamarlo en cualquier momento del día para pedirle algo. Si caminas sobre un charco de agua, tendrás la sensación que te pondrá su saco para que pases por encima. No sólo estás ocupando un espacio físico como si fueras un mueble. También ocupas su mente y su pensamiento y él siente cierto hormigueo cuando está contigo."

4. "No te dará excusas. No habrá grados ni niveles de amor. No habrá: 'Te quiero pero no estoy enamorado de ti'. Cuando un hombre está enamorado, podrá tener un mal día de vez en cuando, pero no vacilará en estar contigo. Si alguien está separando el amor en diferentes categorías, haciendo distinciones entre el amor coronado con una cereza y el amor sólo con crema batida, eso no es amor."

5. "Si realmente disfruta platicar contigo al final del día, esa es una señal enorme. Cuando un hombre está enamorado de ti, te llamará casi todos los días y no sólo los fines de semana. Cuando vayan en el coche hacia algún sitio o salgan a cenar, nunca se les acabarán los temas de conversación."

6. "No te pedirá que salgas con él, diciéndote siempre: 'Ven a verme cuando quieras'. Querrá verte por cita, porque le parece algo especial. Él estará pensando: 'Déjame esforzarme. Déjame continuar avanzando'. Es entonces cuando sabes que eres un premio –no sólo una pieza".

7. "Él estará de tu lado, aunque estés equivocada. Sus amigos no podrán desdeñarte, y él protegerá tus sentimientos. Si una compañera de trabajo lo llama a media noche, le pedirá que no llame tan tarde. Siempre sentirás que eres lo más importante en su vida."

8. "Te dará un acceso total a su vida. No tendrás menos atención después de seis meses que la que te daba el primer mes. En cierto momento, hasta te dejará contestar su teléfono. Te invitará a hacer casi todo con él."

9. "Se saldrá de su rutina. Si está loco por una mujer, pondrá todo el tiempo extra del mundo. Hará cosas por ti, será considerado, querrá complacerte, tratará de alegrarte si estás triste y disfrutará cada momento porque tú eres la persona que él más valora."

10. "Te pedirá que te cases con él."

Más que nada, *te respetará como mujer*. Cuando un hombre está enamorado de ti, nunca te llamará una "chica", o una "niña", o su "vieja" o su "condena". Se referirá a ti como su mujer, o su novia, o su esposa o su prometida. Se referirá a ti con *respeto*, porque te ve como la chica de sus sueños.

NOTAS

[1] Inspector Harry "El Sucio" Callahan: Personaje de una película con el mismo nombre, interpretado por Clint Eastwood. (N. de la T.).

capítulo 7

De "Tal vez" a "Sí, acepto"

Obtener un anillo para el dedo en el que él está enrollado

Protégete para que nadie te anule, te
domine o te pisotee. Sólo di: "Espera
un momento, yo lo valgo todo, cariño".

MAYA ANGELOU

Bajándote del carrusel

En un mundo perfecto, Romeo conoce a Julieta. Después de un año de noviazgo breve y apasionado, él renta un Lear Jet, la lleva a una isla privada, se arrodilla y le pide matrimonio. Después, los fuegos artificiales alumbran el cielo, los planetas se alinean, los pajarillos cantan, perros y gatos brincan hacia el horizonte y todos regresan a casa felices.

Pongamos los pies en la tierra: la mayoría de las veces las propuestas de matrimonio no suceden como en las películas. Podrán darte un buen anillo, o una buena proposición, pero las dos cosas no suelen ir juntas (a menos que él tenga un excelente guionista o se pase mucho tiempo en el pasillo de las tarjetas de felicitación). Muchas veces no hay ningún tipo de fanfarria. A puerta cerrada, el hombre dice: "Está bien, está bien. Te prometo que iremos a ver anillos. Le quedan dos minutos al Súper Tazón. ¿Podemos hablar de esto en otro momento?"

¿Alguna vez has notado que los hombres actúan raro cuando ven un comercial de joyas? La razón por la que los hombres odian estos comerciales es porque literalmente sienten cómo aumenta la tensión en la habitación. *"El Día de los Enamorados, demuéstrele que la quiere. Los diamantes son para siempre."* Y muestran a una mujer radiante de felicidad, con una música de fondo ñoña. Después se ve a los nuevos esposos corriendo por la playa vestidos de novios. *"Que su amor dure tanto como un diamante."* Cuando termina el comercial, su novia está mirando su mano izquierda, triste y haciendo pucheros como una niña pequeña a la que se le hubiera caído un helado. Como en una caricatura, se forma un globo de diálogo imaginario sobre su cabeza: "¿Dónde demonios está mi anillo?" Mientras tanto, en el globo sobre la cabeza de él se puede leer: "¿Qué publicista tarado decidió interrumpir las preliminares con esta basura?"

Ya que la mayoría de las mujeres no encuentran las palabras adecuadas para hablar sobre el compromiso, este capítulo te ayudará a mejorar tus habilidades en esta área. La información que estás a punto de leer está basada en la retroalimentación que recopilé de varios hombres que se comprometieron recientemente o que ya están casados. Lo primero en lo que todos estuvieron de acuerdo de forma unánime fue lo siguiente:

> **PRINCIPIO DE RELACIÓN 69**
> Tienes mayores posibilidades de comprometerte cuando el hombre no se siente presionado a hacerlo.

En lo referente a las "negociaciones", el enfoque de la cabrona funciona mejor que los típicos intentos de la "chica buena" para obtener una propuesta. La cabrona no hace pucheros. No lanza indirectas. No es rezongona. Durante un año completo, no hay nada de eso. Sale, se divierte, y no le revela sus verdaderas intenciones ni habla sobre el compromiso. ¿Por qué? Porque más o menos un año después, él está encariñado. Está fuertemente enganchado. Desea estar con ella. Ella no representa presión… ni una obligación. Es un premio por el que él se esforzó y lo ganó… casi. Todo esto le da poder a ella.

El acercamiento de la cabrona es sutil por dos razones. Primera, entiende que los hombres no son estúpidos. Él no tiene que ser campeón del concurso de ortografía para entender que la mayoría de las mujeres no considerarían que la relación sea un gran éxito solamente por vivir con un hombre año tras año. A menos de que lo criara una manada de lobos, él también lo entiende.

La segunda razón por la que mantiene un acercamiento sutil es que si ya pasó un año, preguntarle "¿A dónde va esta relación?" es debatible. Si no ha tocado el tema, no te ha pedido que te cases con él ni te ha dado una indicación seria de que lo va a hacer pronto, es muy claro hacia dónde *va*: está tratando de comerse el pastel y seguirlo teniendo.

Un recién casado llamado Jeff me explicó:

Yo había vivido con otras mujeres antes de casarme con mi esposa.

Y todos los hombres saben que después de un año, o dos cuando mucho, la mujer pierde algo de su dignidad. Y realmente, tú le pierdes el respeto si se queda, porque en cierto nivel el hombre sabe que la relación se convirtió en una especie de viaje gratuito. Sabe que está recibiendo todas las ventajas sin dar nada a cambio.

Si la mujer quiere casarse y él lleva un par de años evadiéndolo, sabe que se está aprovechando de ella.

O sabe que puede capear el temporal, hasta que esté listo para irse.

Si ella acepta quedarse, él piensa: "Qué bien, no tengo que casarme con ella". Pero después empieza a pensar: "¿Por qué deja que me aproveche?

Algo en ella no está bien".

En otras palabras, él empieza a perderle el respeto. Supone que ella es ingenua… o que está desesperada. Ella se vuelve menos atractiva porque él sabe que se está aprovechando y ella no se está defendiendo. Como dicen en Hollywood: "Te matarán dándote ánimos".

Con frecuencia, aquí es donde empieza el proceso de devaluación: "¿Por qué tengo que quererla y apreciarla?" Y todavía hay una suposición más básica que esa: "Tengo la opción de quedarme hasta que me canse de ella. O hasta que aparezca algo mejor. Lo voy a disfrutar hasta que sienta que quiero regresar a mi vida de soltero". Y este es precisamente el nivel de seguridad que una cabrona no le va a dejar sentir.

> **PRINCIPIO DE RELACIÓN 70**
> La cabrona no se permite a sí misma estar con un hombre que está pasando el tiempo hasta que aparezca algo mejor.

Esto se relaciona directamente con por qué los hombres se casan con las cabronas. *La cabrona tiene fuerza de convicción.* Por doloroso que sea, por mucho miedo que pueda sentir, se irá si no obtiene lo que quiere. ¿Y adivina qué? Precisamente por eso obtiene lo que quiere. Cuando la cabrona *sutilmente* le hace entender que no va a esperar por siempre, se vuelve exactamente igual que cualquier otra negociación. Cuando una persona está dispuesta a marcharse, la otra tiene que hacerle una mejor oferta.

Dicho esto, no puedes darle un ultimátum. Pero lo que puedes hacer es: tener una conversación o dos con él. La primera es una sesión de recopilación de datos. Y si no te gusta lo que oyes, en la segunda conversación dejas caer la guillotina.

Si ya pasó un año y quieres que te pida matrimonio, en la primera conversación debes ser práctica. Dile algo como:

Llevamos un año saliendo juntos. Te amo y creo que eres maravilloso. Y acepto las cosas como están. Pero quiero algo más de una relación que lo que tenemos ahora, y parece que no estamos progresando.
(Y después guarda silencio.)

Mientras menos hables después de eso, más poder tendrás. El objetivo es darle una oportunidad en un ambiente cordial de una forma muy casual. Tu trabajo es mantenerte serena y no mostrar tus emociones. ¿Por qué? Porque quieres obtener la verdad. No querrás que hable de dientes para afuera ni que te diga lo que quieres escuchar; quieres obtener la respuesta *real*. Puede decirte que está locamente enamorado de ti y qué estaba planeando una sorpresa. Y después insinuar algo sobre salir de fin de semana. O puede preguntarte si te gustaría ir a comprar un anillo.

Si no te da la respuesta que quieres oír, y sientes que está esquivando el tema a toda costa, es el momento de hacerte menos presente. Cualquiera que sea la cantidad de tiempo que pasas con él, disminúyelo en un 60 o 70 por ciento. Velo una o dos veces en dos semanas. Y después planea un fin de semana con las chicas. (Eso siempre lo petrifica porque no sabe lo que tus amigas podrían decirte.) Si te pregunta con quién estás saliendo, asegúrale que no estás saliendo con nadie más. Sólo mantente ocupada y fuera de su alcance. Pero no le des explicaciones. *Él sabrá el porqué.*

> **PRINCIPIO DE RELACIÓN 71**
> La cabrona no hace insinuaciones sobre el matrimonio ni pregunta: "¿Hacia dónde vamos?" En vez de eso, insinúa que dejará la relación. La palabra matrimonio ni siquiera se menciona.

Pierde cuidado, él entenderá. Lo más probable es que en un par de semanas haya otra conversación porque él notará un cambio y te va a preguntar: "¿Qué te pasa?" Y, cuando lo haga, no debe parecer que te sientes defraudada, devastada ni molesta. Si todavía no te dice que quiere que la relación progrese, podrías considerar decirle lo siguiente:

Nos hemos divertido bastante. Y no me arrepiento del tiempo que pasamos juntos. Te aprecio mucho. Pero es obvio que queremos cosas diferentes, y por lo tanto debemos hacer lo correcto. Te quiero y quiero que seas feliz, y también quiero que encuentres lo que estás buscando. Creo que es momento de que sigamos adelante.

Aquí es donde tienes que ser elegante y mostrarle que eres diferente. Nada de dramas nocturnos. Nada de llorar. Nada de chantajes. Nada de hacerte la mártir o la víctima. No le des la impresión de que sientes que saliste perdiendo. Y no tengas más conversaciones con él. Este no es un maratón de ruegos.

La razón por la que el silencio es oro en este punto es que cualquier cosa que digas después le hará saber que todavía puede ganar algo de tiempo, andarse con rodeos o "tirarte a loca". Si lloras o lloriqueas en una conversación como esta le demuestras que no estás segura y pensará que no debe cambiar nada. *Eso le dice que te puede manipular y que no está obligado a tomarte muy en serio.*

Simplemente enfatiza lo que quieres y después actúa con fortaleza y madurez. "No quiero que aceptes algo para lo que no estés preparado." Si estás tranquila, lo asustas todavía más, porque sabe que no es una decisión impulsada por las hormonas. Está basada en lo que él te está ofreciendo, en quién es él y en lo que te está demostrando que quiere dar. Y tú no piensas pactar porque no estás desesperada. Esto aumenta tus *acciones*. "Oh, oh. Tengo que darle una razón para que se quede, o la voy a perder".

Recapitulemos:

- No le das un ultimátum.

- No se siente presionado. No oye "cásate conmigo, cásate conmigo", ni siente que está atado como pavo para el Día de Acción de Gracias.

- Estás siendo madura, abierta, honesta y no lo estás juzgando.

- No estás matando la relación, ni le estás expresando enojo porque está "disfrutando de todo sin dar nada a cambio", ni le estás diciendo que metió la pata.

- Simplemente le dijiste: "Eres simpático, ingenioso y fantástico, y te amo. Pero antes de que sigamos perdiendo nuestro tiempo, tenemos que resolver esto".

No es lo que dices, es *cómo te mantienes con dominio cuando te vas*. Debes tener una calma poco común, dadas las circunstancias. Y así, él piensa: "Hmmm. Ella es de una raza diferente". Y te vuelves irremplazable. Se trata de tener carácter y clase.

A los hombres se les enseña a creer que las mujeres son el sexo débil. Así que cuando quieres defender tus principios aunque pueda ser doloroso o pueda costarte algo, te conviertes en la máxima guerrera. "Espera un momento. La tenía. Y ahora no puedo hacer lo que quiero con ella. ¿Qué está pasando aquí?" Cuando puedes alejarte, controlarte y actuar sabiendo lo que está sucediendo, ¿adivina quién gana?

Esto es lo que la mayoría de los hombres están buscando en una esposa. Es su chica soñada; una mujer femenina que no está dominada por las emociones ni la inseguridad. En esta mujer hay una cierta dignidad. Tiene un campo de fuerza a su alrededor que lo derrite como mantequilla. No grita. No vocifera. Su autoestima y fe en sí misma son la esencia real de lo que la convierte en una cabrona.

Jessica y Rick son un ejemplo perfecto de esta dinámica. Llevaban tres años juntos y tenían una excelente relación. Sin embargo, él se estaba haciendo el tonto sobre el matrimonio.

Y Jessica le dijo: "Si después de tres años no quieres casarte conmigo, debemos separarnos. Adiós". Recuerdo cómo decía adiós con la mano, mientras me contaba esta historia. Después cortó todo contacto con él. Tres meses después, Rick la llamó y le preguntó: "¿Podemos vernos para cenar mañana por la noche, por favor?" Ella lo rechazó. Él siguió insistiendo cada noche. Finalmente, ella aceptó, a regañadientes. Durante la cena, él le propuso matrimonio con un anillo precioso.

Así piensan los hombres. Si al mariscal de campo le dan un golpe fuerte, lo tiran y lo arrollan, se vuelve a levantar. No se va a desorganizar. Y seguirá tratando de anotar.

Si te estás yendo y te pregunta: "¿Podemos vernos de vez en cuando?", contéstale: "Claro". Y después, cada vez que quiera verte, no estés disponible. Pasa de estar disponible en un 60 o 70 por ciento de las ocasiones, a estar un 97 por ciento no disponible. Evítalo *sin* que parezca que eso es lo que estás intentando. Esto hará que se desboque su imaginación. Así lograrás que empiece a sentirse solo.

Lo que *no* quieres hacer es hablar abiertamente sobre la posibilidad de ver a otros hombres. ¿Por qué? Porque no es necesario. Él ya está petrificado de sólo pensar que haya otro hombre penetrando a su mujer. "¿Otro hombre le va a dar lo que yo no le estoy dando?" Y después se empezará a imaginar a otro hombre (que podría hacerlo mejor) llevándote serenata y ofreciéndote sus servicios, y eso acabará de desquiciarlo. Lleva un año acostándose contigo, y cree que estás hecha sólo para él. La idea de otro hombre… es *impensable*. Por eso tienes que alejarte, para que lo *impensable* empiece a ser *pensado* una y otra vez… hasta el punto de que no lo deje dormir en la noche. Es entonces cuando irá directo a la joyería más cercana.

Cada hombre *piensa* que quiere su libertad… hasta que la obtiene. Entonces, la ansiedad de la separación junto con conocer a una mujer que le diga en un bar: "¿Qué coche tienes?", lo hace darse cuenta de que está perdiendo lo mejor que ha tenido en su vida.

Llamo a esto mi "analogía de botana". Si eres una buena mujer, representas su *dieta* de relación. Tú eres un desayuno, comida y cena saludable. Otra chica de la que pueda obtener atención representa la botana. Y mientras tenga tres comidas al día en casa, puede obtener un poco de atención, o unas cuantas botanas, y una cerveza fría con los amigos. Pero cuando tú te desapareces de la ecuación, tiene que comer botanas tres veces al día. Y entonces rápidamente se da cuenta de que el pasto no es tan verde del otro lado. "Oye, esta botana está bastante mala."

Recuerda que quiere tomar el camino más ético. No lo amenaces sutilmente con que vas a salir con otros hombres, porque sin necesidad de decírtelo, él pensará que lo estás chantajeando: "Haz lo que te digo, o verás cómo te va". Para algunos hombres, esto es muy ofensivo. "Si no me das lo que quiero, cuando lo quiero, tiraré todo lo que tenemos en un instante". Eso hace que parezca que la relación no vale para siempre.

Jane y Darren estaban saliendo y ella le dio un ultimátum directo después de un año. Dos semanas después, él pasó por su casa, y pensaba proponerle matrimonio. Cuando entró, ella le mostró todos los correos electrónicos que estaba recibiendo de un hombre con el que ya había salido varias veces. Ella no sabía que él traía un anillo en el bolsillo. Aunque se sintió devastado, lo vio como una señal de que la relación no era para siempre.

Al final, en todo lo que él puede confiar es en tu carácter y tu disposición para mantener tus convicciones. Sabe que la mujer equivocada puede arruinarlo financiera y emocionalmente. Cuando una cabrona defiende lo que cree, de forma honesta y decente, lo hace sacar todas sus emociones a la superficie. La relación se convierte en algo muy real. En ella hay autenticidad. Al estar dispuesta a decirle: "Estoy poniendo todo lo que tengo sobre la mesa y quiero caminar con comodidad y seguridad para obtener lo que realmente quiero", con frecuencia él va a sentir que necesita a esa mujer. No puede existir sin ella. Entonces ella se convierte en "la ideal".

PRINCIPIO DE RELACIÓN 72
Cuando te defiendes en una forma digna, femenina y delicada, puedes obtener todo lo que quieres de un hombre. Cuando te valoras de la manera correcta, él también lo hará.

Algunas veces le toma un momento darse cuenta, otras, le toma semanas y meses. Si te ama se dará cuenta. Y si no, *habría malgastado tu tiempo durante cinco o diez años* y tú tendrías exactamente el mismo resultado. Así que *no perdiste nada.*

Por lo tanto dale la oportunidad de proponerte matrimonio. Después de todo, los hombres no están predispuestos o condicionados a pensar en el matrimonio. Él no se acuesta por la noche soñando en un paseo en góndola para dos en Italia, escuchando una serenata de un hombre con un fuerte acento, cantando "O Sole Mio" al trinar de una guitarra. Sin embargo, ya pasó un año y está atado a ti. Y ahora ya no es tan fácil cambiarte u olvidarte.

Mientras que las mujeres se enamoran de la presencia de un hombre, ellos se dan cuenta de que están enamorados cuando la mujer está ausente. Y algunas veces, lo único que necesitan es algo de tiempo para darse cuenta.

Cambiando el lente a través del cual te ves

En su diario, Marilyn Monroe escribió que mientras caminaba por la calle con Joe DiMaggio, sentía que él debía de caminar del lado de la acera y que ella debería "andar por las coladeras". Podría decirse que era la mujer más bella del mundo; una leyenda. Y aun con toda su belleza y atractivo sexual, tenía el sentimiento persistente, que comparten muchas "chicas buenas", de una baja autoestima. Como si hubiera un ancla que las jalara hacia abajo en la vida.

Cuando escogen esposa, los hombres se dan cuenta de si eres feliz. O si te sientes bien contigo misma. Michelle y Michael están felizmente casados, y cuando eran novios ella le dijo algo que él recordó años después: "Si me caso, voy a ser muy feliz. Y si me quedo soltera, voy a tener una gran vida y también seré feliz. Así que el matrimonio no es realmente una prioridad". Esto es precisamente lo que una cabrona aporta a la relación, que la insegura "chica buena" no tiene. Una alegría de vivir… *joie de vivre.*

¿Cuál es la diferencia entre Michelle, una mujer común, y la legendaria Marilyn Monroe? Se resume así:

PRINCIPIO DE RELACIÓN 73

En la vida, la mitad de la batalla tiene que ver con los lentes que escojas para verte. Tu realización depende de si te ves a tí misma a través de un lente positivo o uno negativo.

Si no sientes que eres "suficiente" *sin* un marido, no te sentirás "suficiente" con él. Si te ves a través de un lente negativo te dirás cosas como: "¿Qué pasa conmigo? Todas mis amigas están casadas… *menos yo*". Ser soltera no te hacer ser menos que… como tampoco el matrimonio es una garantía de felicidad. Si ese fuera el caso, no terminarían en divorcio la mitad de ellos.

Sin embargo, verte a través de un lente positivo es

la mejor oportunidad que tienes para ser feliz. Disfruta cada día. Vive al máximo. Sé positiva. Ámate a ti misma. Y no hagas caso de lo que piensan los demás o de si te aceptan. No dejes que nadie te opaque. De otra forma, cuando te cases, seguirás siendo infeliz y, como Marilyn Monroe, sentirás que perteneces a la coladera.

Como has visto a lo largo de todo este libro, un hombre desea... ansía... y busca una mujer fuerte y enérgica que sepa quién es. Él no quiere sentir que está adoptando a una huérfana o que tiene a una niña necesitada que pide perdón por su necesidad, no puede dar su opinión y necesita que alguien más le diga que es valiosa. Así que no pienses en "finales felices"... piensa en un inicio feliz. Y comienza hoy... sin importar tu estado civil.

¿Por qué esto aumenta las probabilidades de encontrar marido? Un hombre casado llamado Mark me explicó: "Los hombres saben que si una mujer no está contenta consigo misma, cuando se casa, él será el receptor de su desilusión y resentimiento. Será 'su culpa' que ella no sea una persona feliz. Por eso los hombres se sienten atraídos instintivamente hacia una mujer que esté feliz con él... o sin él".

Por eso los hombres se casan con las cabronas: será menos probable que un hombre tenga que preocuparse de perder su libertad si la mujer no parece necesitarlo para hacerla feliz.

Desde luego, esto no es lo que se les enseña a las mujeres. En la película *El club de la buena estrella* hay una escena que tipifica la abnegada conducta de adoración que usa Rose para convencer a su marido, sin entender por qué obtiene el efecto contrario. "Me dije que esa era la manera cariñosa. Con el tiempo, me di cuenta de que Ted se estaba aburriendo. Así que me *esforcé más*". Después hay un corte a una escena en la que su esposo y ella están discutiendo sobre lo que van a cenar (lo que es penoso para él porque ella ya no habla con nadie… incluida ella misma).

Rose: ¿Querido, cenamos en casa o quieres salir a cenar fuera?

Ted: Tú decide.

Rose: Si quieres cenar en casa, tengo chuletas de cordero. O podría reservar en Square One. No te quería interrumpir.

Ted: No me estás interrumpiendo. De verdad quise decir lo que dije. Quiero saber lo que quieres *tú*.

Rose: Has tenido un día difícil y en verdad no me molesta. Sólo quiero que estés contento… ¿Cariño, qué tienes?

Ted: Es sólo que de vez en cuando me gustaría oír lo que quieres *tú*. Me gustaría escuchar *tu* voz aunque no estemos de acuerdo. Tú eras diferente. Solías tener tu propia opinión.

Fíjate en su tono de disculpa constante y en el miedo que le da imponerse. Se ve a sí misma como una imposición… como alguien inferior a él. Ese es su lente. Después, cuando cambia ese lente, tiene temple, y el respeto de su marido por ella vuelve a crecer.

En un artículo de revista, Meg Ryan[1] dijo: "En mi vida diaria, me doy cuenta de que me disculpo por lo que necesito… o por cómo me siento. Ya no quiero vivir así". Y yo te digo que tú tampoco deberías.

PRINCIPIO DE RELACIÓN 74
Los hombres casi nunca toman como un cumplido que tú cedas todo el tiempo o que seas demasiado complaciente. Los hombres quieren sentirse especiales, y cuando tú eres demasiado buena, él se siente común y corriente, porque supone que tú consientes y te conviertes en una chica-sí con cualquier hombre.

La mayoría de las "chicas buenas" reciben información equivocada. Esto es lo que se les enseña:

- "Si le demuestro que lo amo a cada hora, se va a debilitar y me amará más."

- "Si 'le acepto todo para llevarnos bien' pensará que somos más compatibles."

- "Si me sacrifico, mejoraré nuestra relación."

- "Si siempre estoy de acuerdo con él, mis opiniones le parecerán mejores."

- "Si me veo bien, tendré el respeto que quiero."

- "Si redoblo mis esfuerzos, aumentaré su aprecio."

Así que ella lo complace en todo. El hombre le perderá el respeto y será menos probable (no más) que se comprometa si siente que:

- Lo que él decida es la última palabra.
- Él es la figura de autoridad en la relación.
- Para ti nunca hace nada malo.
- Tú adoptas una posición inferior en la relación.

Nunca podrás probarle a un hombre que eres lo mejor que le ha sucedido, si bajas la cabeza o cedes. Ni vas a probar que "vales" más si le besas el trasero… porque así *no vas a obtener su respeto*. En el fondo, a los hombres no les llena emocionalmente estar en una relación que los haga sentir idolatrados por un subalterno.

PRINCIPIO DE RELACIÓN 75

Él no se casa con una mujer que lo ponga
en un trono. Se casa con una mujer que sea su igual...
esa mujer especial con quien pueda compartir
todos los momentos especiales de su vida.

El hombre quiere sentir que es tu héroe. Los hombres necesitan sentirse valorados. Quiere sentir que lo admiras, lo respetas y que él es el protector en la relación. *Pero lo quiere de una mujer que se respete a sí misma, que tenga temple y quien, primero, y más que nada, se ame a sí misma.*

Así que empieza a cambiar tu lente... o a agudizar tu enfoque. Cambia la forma en la que te ves a ti misma, ten cuidado con los que tratan de convencerte de quién eres. Si pueden convencerte de que eres fea cuando eres bella... de que eres tonta cuando eres inteligente... de que eres incapaz cuando eres capaz... también pueden convencerte de que no vales nada cuando vales mucho. Así que no creas lo que la gente te diga sobre ti misma. Si lo haces, y su opinión sobre ti es negativa... pierdes tus sentimientos y tus opiniones. Te dará miedo acercarte... te dará miedo ser valiente... te dará miedo alcanzar nuevas metas. Te vuelves silenciosa con todos... incluyéndote a ti misma. Y así es como pierdes la materia prima más importante que puedes aportar al matrimonio: tú.

Antes de terminar, creo que es importante hacer una última cosa. Vamos a reescribir el cuento de hadas, ¿sí? Vamos a olvidar todo lo que aprendimos de la Cenicienta, la Bella Durmiente y Dorothy, Toto, y la Tierra de Oz, y vamos a remodelar un poco el cuento de hadas. El final del cuento debería de ser así:

Érase una vez una princesa. *Llegó un príncipe que le preguntó si quería montar con él en su caballo blanco. Ella le dijo: "Me gustaría montar en tu caballo, pero ahora no puedo porque estoy un poco ocupada buscando un caballo para mí. Cabalga solo hacia el atardecer, y yo te alcanzaré después". Súbitamente, el príncipe estaba anonadado. Nunca en su vida había escuchado nada así. Algo hizo clic en su interior, e inició un fuego que no puede apagar, porque ella no lo necesita. Y entonces se dijo: "Tengo que estar con ella por el resto de mi vida".*

Después se enamoran, se casan y cabalgan hacia el atardecer. Y después ella lo tortura… *tiernamente para siempre.*

NOTAS

[1] Meg Ryan: Actriz estadounidense, especializada en comedias románticas. (N. de la T.)

LOS PRINCIPIOS

DE RELACIÓN

DE SHERRY

PRINCIPIO DE RELACIÓN 1
En el romance, no hay nada más atractivo para un hombre que una mujer que siente dignidad y orgullo por quien es.

PRINCIPIO DE RELACIÓN 2
Él se va a casar con la mujer que *no* se acueste como si fuera una pieza de linóleo.

PRINCIPIO DE RELACIÓN 3
Él no se casa con una mujer perfecta. Se casa con una mujer *interesante*.

PRINCIPIO DE RELACIÓN 4
Cuando una mujer se esfuerza demasiado, el hombre casi siempre la va a probar para ver hasta dónde está dispuesta a llegar. Empezará a lanzarle discos voladores, sólo para ver cuán rápido corre y qué tan alto salta.

PRINCIPIO DE RELACIÓN 5
No creas lo que te digan sobre ti misma.

PRINCIPIO DE RELACIÓN 6
Los hombres ven cómo te vistes, y después hacen suposiciones sobre tu potencial para tener una relación.

PRINCIPIO DE RELACIÓN 7
Cuando un hombre te ve usando prendas demasiado reveladoras, por lo general supondrá que no tienes nada más que mostrar.

PRINCIPIO DE RELACIÓN 8
Cuando te ve ligerita de ropa, no recuerda lo bien que te ves desnuda. Inmediatamente piensa en todos los otros hombres con los que te has acostado.

PRINCIPIO DE RELACIÓN 9
Todo hombre sabe que puede encontrar una chica que quede satisfecha simplemente con tenerlo satisfecho *a él*. Les interesa mucho más una mujer que también se interese por su propio placer.

PRINCIPIO DE RELACIÓN 10
Puedes saber cuánto te respeta una persona,
sabiendo cuánto respeta tu opinión. Si no lo hace,
no te respetará a ti.

PRINCIPIO DE RELACIÓN 11
Es mejor no gustar por *ser quien eres* que ser
amada por *ser quien no eres.*

PRINCIPIO DE RELACIÓN 12
A los hombres les agrada ser curiosos.
Les gusta sentir que la historia tiene más
que lo ya conocido.

PRINCIPIO DE RELACIÓN 13
El reto mental no es: "¿Puedo hacer que ella
se acueste conmigo?" El reto mental es:
"¿Puedo obtener y *mantener* su
atención?"

PRINCIPIO DE RELACIÓN 14
Pierdes todo tu poder en el momento en el que
empiezas a preguntar: "¿Qué soy para ti?"
Porque lo que le acabas de decir es que
él impone los términos de la relación.

PRINCIPIO DE RELACIÓN 15

En cuanto un hombre se pone en guardia, no se enamorará ni se comprometerá.

La única forma de que se comprometa es que primero lo hagas bajar la guardia.

PRINCIPIO DE RELACIÓN 16

Cuando una mujer se lanza demasiado rápido, el hombre supondrá que está enamorada de una "fantasía" o de la idea de tener una relación. Pero si él tiene que ganársela poco a poco, pensará que ella se está enamorando de *quien él es*.

PRINCIPIO DE RELACIÓN 17

Ni siquiera menciones la palabra "compromiso".

Ese es el truco.

Mientras menos hables de él, más te acercarás a conseguirlo.

PRINCIPIO DE RELACIÓN 18

Si no tiene garantías, se encariña contigo y cree que puedes irte en cualquier momento, es entonces cuando empezará a gustarle la idea de asegurar la relación.

PRINCIPIO DE RELACIÓN 19

No hay nada más apreciado por un hombre que
algo por lo que tuvo que esperar, trabajar o luchar
un poco para obtenerlo.

PRINCIPIO DE RELACIÓN 20

En cuanto una mujer le ofrece un compromiso más
serio en charola de plata, él se mostrará reacio
a tomarlo.

PRINCIPIO DE RELACIÓN 21

No seas tan directa, obvia, ni estés tan disponible
como para dar la impresión de que ya tomaste
una decisión sobre él.

PRINCIPIO DE RELACIÓN 22

Quieres descubrir su patrón de comportamiento,
pero no dejes que él descubra el tuyo.

PRINCIPIO DE RELACIÓN 23

Los hombres se enamoran mucho más cuando
sienten que están "robando" tu tiempo de otra cosa
que podrías estar haciendo.

PRINCIPIO DE RELACIÓN 24
Cuando una mujer hace que el hombre sienta que confía en él, lo hace sentir fuerte y respetable. Lo hace querer ser honrado y hacer las cosas bien.

PRINCIPIO DE RELACIÓN 25
A los hombres les gustan las reglas y las guías. Si hay algo que no te gusta, te respetará por decirlo. Le gusta saber "lo que debe y no debe hacer".

PRINCIPIO DE RELACIÓN 26
A los hombres les encanta saber que hay una pequeña parte de ti a la que no pueden llegar.

PRINCIPIO DE RELACIÓN 27
Los hombres le dan importancia a dónde estuviste, dependiendo de lo arreglada que estás cuando regresas. Si te arreglaste mucho y no estabas con él, lo pondrás a pensar un poco.

PRINCIPIO DE RELACIÓN 28
La fórmula mágica es soltar un poco…
y después jalar.
Soltar un poco… y después jalar.

PRINCIPIO DE RELACIÓN 29

Las mujeres escuchan constantemente que las relaciones sexuales asombrosas conquistan el corazón de un hombre. Esto es falso. El que un hombre se acueste contigo no quiere decir que le importes. Ni el buen sexo *va a hacer* que le importes.

PRINCIPIO DE RELACIÓN 30

La manera de separar a los competidores de los pretendientes es valorar su actitud sobre esperar para tener sexo. Si le gustas, estará feliz con sólo estar en tu compañía.

PRINCIPIO DE RELACIÓN 31

El propósito de esperar no es hacerte ver más elegante. También querrás darte tiempo para observarlo y conocer información importante sobre él.

PRINCIPIO DE RELACIÓN 32

Quien *dice* ser al principio no tiene mucho que ver con cómo te *tratará*. Si hay sexo de por medio, te prometerá cosas de las que nunca oíste hablar.

PRINCIPIO DE RELACIÓN 33

Si no pierdes la cabeza tras el sexo, y continúas enfocándote en tu propia vida, automáticamente empezará a verte de otra manera. Y entonces querrá asegurar su relación contigo.

PRINCIPIO DE RELACIÓN 34

Tras el sexo, compórtate como si la relación siguiera siendo nueva.

PRINCIPIO DE RELACIÓN 35

A los hombres les intriga cualquier cosa que no puedan controlar totalmente.

PRINCIPIO DE RELACIÓN 36

Cuando mantienes algo de privacidad y él tiene que preguntarse dónde estás, estimulas su imaginación. En el momento en que no pueda encontrarte enviará una "descripción de la sospechosa" para localizarte.

PRINCIPIO DE RELACIÓN 37

Para un hombre, una relación sin sexo representa una relación sin amor, sin afecto y sin una conexión emocional.

PRINCIPIO DE RELACIÓN 38

Siempre conserva el misterio. Mantén el sexo esporádico e impredecible. Esto lo hace mucho más intenso para un hombre.

PRINCIPIO DE RELACIÓN 39

Cuando una mujer reacciona de forma emocional, los hombres reciben tres cosas: atención, control y una sensación de importancia.

PRINCIPIO DE RELACIÓN 40

Cuando eres fácil de manipular, él supondrá que no tiene que dar tanto en el tema del compromiso para mantenerte ahí.

PRINCIPIO DE RELACIÓN 41

La mejor forma de poner límites a un hombre cuando está probándote es controlar las subidas y bajadas de tu atención. Una reacción emocional siempre es una recompensa, aunque esta sea atención negativa.

PRINCIPIO DE RELACIÓN 42

Los hombres *escuchan* lo que *ven*.

PRINCIPIO DE RELACIÓN 43
Cuando un hombre intenta ponerte celosa, rara vez tiene algo que ver con que desee a otra mujer. Cuando te molestas se siente seguro de que te importa.

PRINCIPIO DE RELACIÓN 44
Cuando *tú* empiezas a hacer lo mismo que *él* está haciendo, repentinamente su mala conducta desaparecerá como por arte de magia.

PRINCIPIO DE RELACIÓN 45
Cuando un hombre no llama, por la mente de la mujer suelen pasar un montón de escenarios diferentes. De igual manera, no saber nada de ti, desbocará su imaginación.

PRINCIPIO DE RELACIÓN 46
Mientras más racional y calmada permanezcas, él se volverá más sensible.

PRINCIPIO DE RELACIÓN 47
Para un hombre es totalmente inadecuado que seas emotiva cuando hablas de algo importante. Cuando hablas de forma tranquila él considera que el tema es mucho más importante.

PRINCIPIO DE RELACIÓN 48

Muchos hombres reducen a las mujeres a un conjunto de suposiciones. El hombre se basa en el hecho de que la mayoría de las mujeres son emotivas y de que él va a ser capaz de presionar tus botones emocionales en cuanto sepa cuáles son. Cuando no puede, por lo general se desmorona y se convierte en el más vulnerable de la relación.

PRINCIPIO DE RELACIÓN 49

Él te está probando para ver si crees en ti. Quiere saber quién tiene el control. Cuando no te desconciertas fácilmente él ve que: "Ella no se deja manipular".

PRINCIPIO DE RELACIÓN 50

Para alentar la conducta correcta, plantea lo que quieres y después dale la solución. Muéstrale que puede ser tu héroe.

PRINCIPIO DE RELACIÓN 51

Cuando está saliendo contigo, estará en guardia constante y buscando percibir: "¿Le gusto por quien soy? ¿O por lo que puedo darle?"

PRINCIPIO DE RELACIÓN 52

Cuando un hombre ve que estás enfocada en tus propios sueños o en mejorar, se siente más seguro de casarse contigo porque no le preocupa lo que podrías estar tratando de *quitarle*.

PRINCIPIO DE RELACIÓN 53

Los hombres no juzgan cuánto dinero tienes. Se fijan en *cómo presupuestas* el que tienes.

PRINCIPIO DE RELACIÓN 54

Los hombres admiran a las mujeres que quieren mejorar y subir por sus propios medios, y temen a las que son trepadoras sociales a expensas de un hombre.

PRINCIPIO DE RELACIÓN 55

Él no quiere casarse con una niñita indefensa a la que tendrá que cuidar.

PRINCIPIO DE RELACIÓN 56

Para un hombre, las palabras *respeto* y *confianza* son intercambiables. Si no te respeta, no va a confiar en ti. Y sin confianza, siempre te va a mantener a cierta distancia.

PRINCIPIO DE RELACIÓN 57

Cuando te dé algo, siempre reconoce la amabilidad tras ese gesto, y no el objeto material. Así como las mujeres nunca pueden recibir los suficientes cumplidos, los hombres nunca pueden recibir el suficiente aprecio por sus contribuciones.

PRINCIPIO DE RELACIÓN 58

La palabra favorita de un hombre es *apreciar*.
Más que nada quiere sentirse reverenciado
y valorado por una mujer.
Cuado ella lo aprecia, lo motiva a ofrecerle
el mundo.

PRINCIPIO DE RELACIÓN 59

Un hombre no pensará en lo que gasta en ti si él cree que puedes ser "la correcta". Al principio, él estará *contento* de pagar la cuenta.

PRINCIPIO DE RELACIÓN 60

Un hombre que tiene cierta tranquilidad financiera pero sigue siendo un tacaño, no querrá dar *nada*. No querrá que le trastornes su tiempo ni tener que compartir el vestidor —mucho menos un hogar o una vida juntos.

PRINCIPIO DE RELACIÓN 61

Cuando te mudas a casa de otra persona, no sólo
cedes tu espacio personal y tus pertenencias.
Además de eso, casi siempre pierdes tu *sentimiento de
independencia*.

PRINCIPIO DE RELACIÓN 62

Si el matrimonio es extremadamente importante
para ti y estás lista para fijar la fecha de la boda, no
te mudes a menos que tengas un anillo y una fecha.

PRINCIPIO DE RELACIÓN 63

Lo que más excita a un hombre es saber que está
enamorado de una mujer con la que *realmente* puede
contar; que de veras lo va a apoyar.

PRINCIPIO DE RELACIÓN 64

Establece tus propios plazos y límites,
y vete cuando sea momento de hacerlo.
Hasta entonces, no le digas cuáles son tus plazos
ni tus motivos de ruptura.
Y después mantén los ojos abiertos y fíjate
en cómo maneja su 50 por ciento de la relación.
Así obtendrás más pronto lo que buscas.

PRINCIPIO DE RELACIÓN 65

Un hombre que en verdad piensa que puedes ser "la ideal" no hablará mucho sobre matrimonio. Será mucho más reservado, y se irá abriendo poco a poco durante varios meses, porque no querrá ahuyentarte.

PRINCIPIO DE RELACIÓN 66

Mientras más control tengas sobre ti misma, más dominio tendrás sobre su corazón.

PRINCIPIO DE RELACIÓN 67

Si el hombre está realmente interesado, se siente vulnerable. Es entonces cuando más necesita un escudo protector y cuando más frecuentemente se portará frío.

PRINCIPIO DE RELACIÓN 68

Si llega el aburrimiento, sencillamente rompe la rutina. En cuanto esta cambia, despierta su interés y la relación se volverá atractiva otra vez.

PRINCIPIO DE RELACIÓN 69

Tienes mayores posibilidades de comprometerte cuando el hombre no se siente presionado a hacerlo.

PRINCIPIO DE RELACIÓN 70

La cabrona no se permite a sí misma estar con un hombre que está pasando el tiempo hasta que aparezca algo mejor.

PRINCIPIO DE RELACIÓN 71

La cabrona no hace insinuaciones sobre el matrimonio ni pregunta: "¿Hacia dónde vamos?" En vez de eso, insinúa que dejará la relación. *La palabra* matrimonio *ni siquiera se menciona.*

PRINCIPIO DE RELACIÓN 72

Cuando te defiendes en una forma digna, femenina y delicada, puedes obtener todo lo que quieres de un hombre. Cuando te valoras *de la manera correcta*, él también lo hará.

PRINCIPIO DE RELACIÓN 73

En la vida, la mitad de la batalla tiene que ver con los lentes que escojas para verte. Tu realización depende de si te ves a ti misma a través de un lente positivo o uno negativo.

PRINCIPIO DE RELACIÓN 74

Los hombres casi nunca toman como un cumplido que tú cedas todo el tiempo o que seas demasiado complaciente. Los hombres quieren sentirse especiales, y cuando tú eres *demasiado buena*, él se siente común y corriente, porque supone que tú consientes y te conviertes en una chica-sí con *cualquier hombre.*

PRINCIPIO DE RELACIÓN 75

Él no se casa con una mujer que lo ponga en un trono. Se casa con una mujer que sea su igual… esa mujer especial con quien pueda compartir todos los momentos especiales de su vida.